Senghor
et la musique

Supervision générale
Samir Marzouki, OIF – Directeur de l'Éducation et de la Formation

Coordination scientifique
Daniel Delas, professeur émérite, université de Cergy-Pontoise

Coordination technique
Patrick Klein, OIF – Direction de l'Éducation et de la Formation
Jackson Noutchié Njiké, FIPF – Clé International

Auteurs
Daniel Delas, Félix Bikoï, Afifa Marzouki, Andrée-Marie Diagne et Catherine Mazauric

Secrétaire d'édition
Anne Perez

Présentation graphique
JPM SA

Couverture
Anne-Danielle Naname

Le Français dans le monde
Rédactrice en chef
Françoise Ploquin
Ministère de l'Éducation nationale (France) – FIPF

Rédacteur en chef adjoint
Jean-Claude Demari
Ministère de l'Éducation nationale (France) – FIPF

Secrétaire de rédaction
Cécile Rouquette

Le Français dans le monde est la revue de la Fédération internationale
des professeurs de français (FIPF)
1, av. Léon Journault 92 311 Sèvres
Tél : 33 (0) 1 46 26 53 16 – Fax : 33 (0) 1 46 26 81 69
Mèl : secretariat@fipf.org
http://www.fipf.com ·

Directrice de la publication
Martine Defontaine, Secrétaire générale de la FIPF
Ministère de l'Éducation nationale (France) – FIPF

Ce numéro spécial intitulé *Senghor et la musique*, qui paraît dans le cadre de l'Année du centenaire
de Léopold Sédar Senghor, est offert avec le numéro 344 de la revue *Le Français dans le monde*. Il a
été entièrement financé par l'Organisation internationale de la Francophonie (OIF) et sa réalisation
a été confiée à la Fédération internationale des professeurs de français (FIPF) et à la maison d'édition Clé International.

OIF
13, Quai André Citroën – 75015 Paris
Téléphone : 33 (1) 44 37 33 00 – Télécopie : 33 (1) 45 79 14 98
http://www.francophonie.org

Le Français dans le Monde
9, avenue Pierre de Coubertin – 75013 Paris
Rédaction : 33 (1) 45 87 43 26 – Télécopie : 33 (1) 45 87 43 18
Mèl : fdlm@sejer.fr
http://www.fdlm.org
Commission paritaire 0407T81661

Senghor
et la musique

Sous la direction de Daniel Delas

Sommaire

LES INSTRUMENTS DE MUSIQUE DANS LES POÈMES DE SENGHOR

COMPTES RENDUS D'EXPÉRIMENTATIONS PÉDAGOGIQUES

N. B. Les références et les citations des poèmes de Senghor sont
tirées de *Œuvre poétique*, abrégé en *O. P.*, aux Éditions du Seuil,
collection « Points », Paris, [1re éd. 1964] 1990.

Le CD Audio

Le CD joint, construit en trois parties, permet une écoute collective de séances de cours sur la poésie de Léopold Sédar Senghor. À travers ces trois parties, les enseignants qui veulent enseigner la poésie de Senghor dans leurs classes disposent de trois niveaux d'enseignement : un niveau débutant/intermédiaire pour jeunes adolescents animé par des élèves de classe de seconde d'un lycée de Dakar ; un niveau intermédiaire/avancé animé par des élèves de danse et de musique de classe de terminale d'un lycée de Toulouse ; et, enfin, un niveau avancé animé par des étudiants de lettres de l'université de Tunis.

PREMIÈRE PARTIE (NIVEAU DÉBUTANT/INTERMÉDIAIRE)

La séance de cours se déroule dans une classe de seconde du lycée Thierno Saïdou Nourou Tall de Dakar (Sénégal). L'échange se fait autour du recueil de poèmes de Léopold Sédar Senghor, intitulé *Éthiopiques*. Le cours est encadré par Madame Annie Madeleine Coly. Après une définition des principaux instruments de musique que préconise Léopold Sédar Senghor lors de la lecture des différents poèmes d'*Éthiopiques*, les élèves lisent des poèmes de Senghor accompagnés de musique et débattent avec leur professeur de l'apport de ces instruments dans la compréhension de la poésie de Senghor.

Coordination pédagogique : Mme Andrée-Marie Diagne
Professeur encadreur : Mme Annie Coly
Accomp. musical : Willis Faggarou Band (orchestre) et Elite Vocale (chorale)
Enregistrement : Studio Odiovizio / Dakar

DEUXIÈME PARTIE (NIVEAU INTERMÉDIAIRE/AVANCÉ)

L'expérience se déroule auprès d'élèves de classe de terminale Techniques de la musique et de la danse du lycée Saint-Sernin de Toulouse. Après s'être approprié différents poèmes de Senghor, les élèves les interprètent à leur manière (musique africaine, jazz, rap, etc.), accompagné de divers instruments préconisés – ou proches de ceux préconisés – par Senghor. Une manière aussi de ne pas frustrer des élèves en quête d'apprentissage de la musicalité de la poésie de Senghor, mais refroidis par l'absence ou le peu de maîtrise des instruments typiquement senghoriens. Cette séquence marque surtout la volonté d'appropriation de Senghor-le-poète-universel par ceux qui ne sont pas de la même aire géographique que le poète-président.

Coordination pédagogique : Mme Catherine Mazauric
Professeur encadreur : M. Bernard Lazare
Interprètes :
• « In memoriam » (*Chants d'ombre*) : violon, piano, accordéon et voix (Candice Blanchot, Mélanie Cazcarra et Maïlis Boué) ; lycée Saint-Sernin de Toulouse.

• « Prière aux masques » (*Chants d'ombre*) : timbales et percussions, voix (Joris Vidal, Élie Duris, Sébastien Gisbert) ; lycée Saint-Sernin de Toulouse.

• « Bec inutile » (*Éthiopiques, D'autres chants*) : saxophone alto, basson, trompette, piano et voix (Pierre Cidar, Maïlis Boué, Éva Barthas, Clément Format-ché) ; lycée Saint-Sernin de Toulouse.

• « Perceur de tam-tam » (*Poèmes divers*) : tuba, batterie et percussions (Joris Vidal, Élie Duris, Sébastien Gisbert) ; lycée Saint-Sernin de Toulouse.

• « Jardin de France » (*Poèmes divers*) : à trois voix (Clémentine Bernard, Tania Alaverdov, Camille Fitan) ; lycée Saint-Sernin de Toulouse.

• « Que fais-tu ? » (*Lettres d'hivernage*) : à deux voix (Sarah Mussat, Sandra Erhard) ; lycée Saint-Sernin de Toulouse.

• « Élégie des Alizés », « Ce juillet, cinq ans de silence... lorsque tout dort à l'abri des éclairs. » : trombone, percussions, voix (Aymeric Fournès, Camille Fitan, Sébastien Gisbert) ; lycée Saint-Sernin de Toulouse.

• « Élégie des Alizés », « Vienne le soir... O Nuit ma Nuit et Nuit non nuit !... » (*Élégies majeures*) : flûte et voix (Julien Vern, Joris Vidal) ; lycée Saint-Sernin de Toulouse.

• Supervision technique : M. Daniel Michel.

• Nous adressons nos remerciements au Conservatoire national régional de Toulouse où ont été réalisés, à titre gracieux, ces enregistrements.

TROISIÈME PARTIE (NIVEAU AVANCÉ)

Cette dernière expérience se déroule auprès d'étudiants de l'Institut préparatoire aux études littéraires et de sciences humaines de l'université de Tunis. L'échange tourne autour du poème de Léopold Sédar Senghor intitulé « Élégie de Carthage ». Le poème est d'abord lu, accompagné d'instruments de musique dont la darbouka, préconisée par Léopold Sédar Senghor, par les deux enseignants que sont Afifa Marzouki et Zinelabidine Benaïssa. Les élèves débattent ensuite de l'apport musical dans la compréhension de ce poème avec leurs enseignants. Les élèves, bien que n'ayant pas Senghor dans leur programme, ont des connaissances assez poussée de la poésie en général, ce qui élève encore plus la qualité du débat.

Coordination pédagogique : Mme Afifa Marzouki
Professeurs encadreurs : Mme Afifa Marzouki et M. Zinelabidine Benaïssa
Supervision technique : Créations chouettes/Mme Emna Charfi
Nous adressons nos remerciements à M. Mansour Mhenni, directeur de l'Établissement de la radio et télévision tunisiennes Canal 21, qui a permis, à titre gracieux, cet enregistrement dans ses studios.

Supervision générale : Samir Marzouki
Coordination scientifique : Daniel Delas
Coordination technique : Patrick Klein et Jackson Noutchié Njiké
Réalisation technique : Dialogo Production / Paris

Avant-propos

Roger DEHAYBE
Commissaire de l'Année Senghor
de l'OIF

Pour m'être souvent demandé pourquoi l'œuvre du père fondateur de la francophonie n'était pas davantage connue et étudiée par les jeunes francophones, j'ai souhaité que des enseignants fassent en direction de leurs collègues œuvre de passeurs. J'ai donc demandé à la Direction de l'Éducation de l'Organisation internationale de la Francophonie de concevoir des outils pédagogiques conviviaux et pratiques qui invitent les professeurs de français à se départir de l'intimidation du verbe ou du verset senghoriens et à inclure Senghor dans leur enseignement.

Il est apparu très vite que la poésie de Senghor, écrite telle une partition avec des références précises à des instruments et à des rythmes, proposait, certes, une ouverture sensorielle déterminante pour l'art du XXe siècle, mais créait en même temps des obstacles rédhibitoires à sa médiation par des professeurs de français qui ne sont ni professeurs de musique ni musiciens. « Car le rythme demeure le problème », écrit Senghor dans la postface d'*Éthiopiques*.

Daniel Delas avait publié des analyses relatives au rythme, aux « polyrythmes » senghoriens. Il était prêt à coordonner un projet qui prolongerait ces recherches dans une perspective didactique. La pédagogie de projet permettrait l'expérimentation de parcours pédagogiques innovants. L'outil à créer devrait intégrer texte et son, et serait donc multimédia, sans pour autant alimenter la fracture numérique : à l'instrument de la pédagogie est associée une pédagogie de l'instrument.

À Dakar, à Toulouse, à Tunis, avec les professeurs, avec des musiciens, avec des griots, des dizaines de jeunes élèves et étudiants ont observé et écouté silences, musiques, syncopes, sonorités, accompagnements et contrepoints. Leurs témoignages constituent autant de pistes à explorer.

Fécondes contraintes ! Orphée faisait se lever le soleil par le pouvoir de sa lyre. Le poète fera « que du tam-tam surgisse le soleil du monde nouveau ».

L'enseignant trouvera donc ici une invitation à inventer l'enseignement de Senghor. J'en remercie les auteurs comme les acteurs et partenaires : la Fédération internationale des professeurs de français, *Le Français dans le Monde* et les éditions Clé International.

Apports réflexifs

DANIEL DELAS

FÉLIX NICODÈME BIKOÏ

AFIFA MARZOUKI

Poésie, rythme et musique dans l'œuvre de Senghor

Daniel DELAS

Université de Cergy-Pontoise

Professeur émérite à l'université de Cergy-Pontoise, il s'est très tôt intéressé aux poètes de la négritude. Il a ainsi consacré deux essais à Léopold Sédar Senghor et un essai à Aimé Césaire. Il prépare actuellement une biographie du poète-président à paraître aux Éditions Aden au cours de l'année 2006.

Guillaume de Machaut (1300-1377) est le dernier poète français pour qui « musique » et « poésie » sont sœurs :

> N'instrument n'a en tout le monde
> Qui seur musique ne se fonde,
> Ne qui ait souffle ou touche ou corde
> Qui par musique ne s'accorde.[1]

Son disciple immédiat, Eustache Deschamps, va, dans *L'Art de dictier* (1393), séparer deux sortes de musiques, celle des mots (qu'il appelle « artificielle ») et celle des sons (qu'il appelle « naturelle »). La poésie lyrique, au sens moderne, commence peut-être avec Deschamps, au moment de cette séparation : « La poésie conquiert son autonomie, mais en même temps qu'elle s'autonomise, elle commence à s'éloigner, peut-être à se perdre »[2]. On peut voir dans ce divorce qui se produit à la fin du Moyen Âge un des premiers effets du rationalisme thomiste qui en déglobalisant le monde le désacralise et en permet une approche technique. Car c'est bien la technicisation grandissante de la musique marquée par le développement de la musique polyphonique qui fait du musicien un spécialiste, un expert qui travaille sur les quantités savamment combinables laissant au poète l'art de faire entendre une « musique de bouche », sans instruments associés. La chose ne se fera pas d'un seul coup et l'*Abrégé de l'art poétique françois* de Ronsard contient encore de nombreuses indications qui témoignent du souci d'accorder musique et poésie : « Si de fortune tu as composé les deux premiers masculins, tu feras les deux autres féminins et paracheveras de mesme mesure le reste de ton Élégie ou de ta Chanson *afin que les musiciens les puissent plus facilement accorder* » ou « Je te veux aussi bien advertir de hautement prononcer tes vers en ta chambre, quand tu les feras, ou plus-tost *les chanter*, quelques voix que puisses avoir, car cela est bien une des principales parties que tu dois le plus curieusement

---

1. et **2.** Jean-Marie GLEIZE, *La Poésie, textes critiques XIVᵉ-XXᵉ siècles*, Larousse, 1995, p. 29 et p. 23.

observer ». De nombreux sonnets de Ronsard nous sont d'ailleurs parvenus avec leur partition d'accompagnement (par exemple pour soprano et ténor ou pour contralto et basse). On note toutefois que les considérations métriques et rimiques vont prendre une importance grandissante et il ne fait pas de doute que le terme « chanter » n'est plus sous la plume des poètes classiques et modernes qu'une figure de rhétorique. « À l'époque moderne, dit Henri Meschonnic[3], la mise en musique est un problème spécifique qui n'a qu'un rapport de contiguïté avec celui d'une musique de la poésie. »

« Le rythme demeure le problème »

Senghor a eu le sentiment que la Re-naissance dont la poésie nègre pouvait se faire l'instrument passait par une reprise de cette problématique et a avancé des propositions novatrices sur l'association de la musique et de la poésie. Le maître mot dans tout ce débat est celui de « rythme » autour duquel se cristallise sa poétique nègre. Donnons à lire pour commencer quelques-uns des textes de poète consacrés au rythme :

(1)
La qualité essentielle du style poétique nègre est le rythme – la mélodie y tient une place secondaire, je ne dis pas insignifiante. Plus souvent que la rime, l'assonance, très librement.
Le rythme, pour y revenir, est l'élément le plus vital du langage : il en est la condition première, et le signe. Comme la respiration de la vie, la respiration qui se précipite ou ralentit, devient régulière ou spasmodique, suivant la tension de l'être, le degré et la qualité de l'émotion… Ce rythme explique que la plupart des poèmes soient faits pour être déclamés ou chantés…
Vous le sentez, rien de codifié dans ce rythme, rien de rigide : il est libre comme le vers. Sa seule loi est d'être un accompagnement à l'émotion – comme la batterie d'un jazz. Ce qui peut donner une impression de monotonie, c'est qu'il y a de continuelles reprises. Mais reprise n'est pas redite, non plus que répétition. Le mot est repris avec une variante, à une autre place, dans un autre groupe. Il prend un autre accent, une autre intonation, un autre timbre. L'effet d'ensemble est intensifié – non sans nuance.

(« La poésie négro-américaine », 1950,
Liberté I, Négritude et humanisme, pp. 111-112)

On note, pour y revenir, que, malgré l'affirmation de l'importance accordée au rythme, celui-ci n'est dans un premier temps crédité que d'être *accompagnement à l'émotion*, apportant des *nuances, intensifiant l'effet d'ensemble*, sans porter le sens à lui seul.

(2)
Voici les Africains sollicités par, pris dans les ondes du tam-tam, que l'Afrique, depuis toujours adresse aux quatre coins du monde. Le tam-tam qu'au fond des cases, noyées dans la nuit et dans la brume, entendent au loin, les cœurs qui

---

3. *La Rime et la Vie*, Verdier, 1989, p. 200.

veillent. Leurs poèmes répondent aux ondes du tam-tam, les épousent : rêves objectivés, ils sont tam-tams

(« L'apport de la poésie nègre au demi-siècle », op. cit., p. 144)

Ici, on est dans le domaine de la poésie traditionnelle orale dont il a eu l'expérience dans son enfance africaine, dans une tradition qui ne sépare pas musique instrumentale et musique de mots : *les poèmes sont tam-tams.*

(3)

Primauté de la parole. C'est le rythme qui lui donne sa plénitude efficace, qui la transforme en *Verbe*. C'est le verbe de Dieu, c'est-à-dire la parole rythmée, qui créa le monde. Aussi est-ce dans le poème que nous pouvons le mieux saisir la nature du rythme négro-africain. Le rythme ne naît pas, ici, de l'alternance de syllabes longues et de syllabes brèves, mais uniquement de l'alternance de syllabes accentuées et de syllabes atones, de temps forts et de temps faibles. Il s'agit d'une versification rythmique. Il y a vers et, partant, poème quand, dans le même intervalle de temps, revient une syllabe accentuée. Mais le rythme essentiel est non celui de la parole, mais des instruments à percussion qui accompagnent la voix humaine, plus exactement de ceux d'entre eux qui marquent le rythme de base. Nous avons affaire à un *polyrythme*, à une sorte de contrepoint rythmique. Ce qui évite à la parole cette régularité mécanique qui engendre la monotonie. Le poème apparaît ainsi, comme une architecture, une formule mathématique fondée sur *l'unité dans la diversité.*

(« L'esthétique négro-africaine », 1956, op. cit., p. 212)

Où l'on retrouve les termes *accompagner, vers* et *versification rythmique* et *polyrythme* qui mériteront commentaire, mais où on est dans une lecture « sacralisante » de la poésie.

(4)

Mais le pouvoir de l'image analogique ne se libère que sous l'effet du rythme. Seul le rythme provoque le court-circuit poétique et transmue le cuivre en or, la parole en verbe. [...]
Les poètes nègres, ceux de l'Anthologie comme ceux de la tradition orale, sont, avant tout, des « auditifs », des *chantres*. Ils sont soumis, tyranniquement, à la « musique intérieure », et d'abord au rythme. De nouveau, je me souviens. Les poètes gymniques de mon village, les plus *naïfs*, ne pouvaient composer, ne composaient que dans la transe des tam-tams, soutenus, inspirés, nourris par le rythme des tam-tams. Pour moi, c'est d'abord une expression, une phrase, un verset qui m'est d'abord soufflé à l'oreille, comme un leitmotiv, et, quand je commence d'écrire, je ne sais ce que sera le poème.
Je dis que le rythme demeure le problème. Il n'est pas seulement dans les accents du français moderne, mais aussi dans la répétition des mêmes mots et des mêmes catégories grammaticales, voire dans l'emploi – instinctif – de certaines figures de langage : allitérations, assonances, homéotéleutes, etc. [...]
Nombril même du poème, le rythme, qui naît de l'émotion, engendre à son tour l'émotion. Et l'humour, l'autre face de la Négritude. C'est dire sa multivalence – comme celle de l'image.

(« Comme les lamantins vont boire à la source », Postface d'Éthiopiques,
1954, O. P., pp. 155-168)

On note que Senghor tente la jonction des deux poésies – de tradition orale-musicale d'une part et de tradition orale-verbale écrite d'autre part – en situant le rythme à deux niveaux : d'une part à l'intérieur du langage (accents et figures sonores), d'autre part à l'extérieur de celui-ci. On pourrait dire qu'il y a deux instances rythmiques qu'il faut tenter de faire se rejoindre, la musique des instruments à percussion et la musique des mots, laquelle n'est d'ailleurs devenue, on l'a dit, qu'une métaphore. Le rôle de la musique instrumentale est défini de manière d'abord un peu flottante puis tente de prendre une forme plus précise : tantôt le poète parle d'un simple rôle d'accompagnement, tantôt il en fait le lieu même de l'inspiration. On touche du doigt la différence entre poésie de tradition orale qui crée et improvise au sein même de la musique instrumentale et poésie écrite en français composée *dans la mémoire* de ce processus créateur. Senghor sent la difficulté qu'il y a là et est sans cesse contraint à faire une sorte de va-et-vient pour tenir les deux arguments. C'est d'ailleurs la raison pour laquelle il avance la notion de polyrythme : ne pourrait-on pas parler d'une poésie *poly-rythmique*, distinguant pour les conjuguer un rythme dit parfois «de base» qui serait celui donné par les instruments à percussion et le rythme des accents et des sonorités du français, en travaillant ceux-ci pour les imbriquer l'un dans l'autre ? Comment peuvent-ils se combiner entre eux et se compléter ? C'est ce que Senghor ne nous dit pas dans ces extraits et que nous tenterons de préciser à partir de ses poèmes.

L'analogie

Auparavant toutefois, arrêtons-nous sur une notion essentielle qui est apparue dans ces textes et qui joue un rôle très important, celle d'*image analo-gique*. L'anthropologue contemporain Philippe Descola, professeur au Collège de France, dans un récent ouvrage[4], fait de la pensée analogique un des quatre modes de la vision du monde des hommes. Il dénomme «analogisme» «un mode d'iden-tification qui fractionne l'ensemble des existants en une multiplicité d'essences, de formes et de substances séparées par de faibles écarts, parfois ordonnées dans une échelle graduée, de sorte qu'il devient possible de recomposer le système de contrastes initiaux en un dense réseau d'analogies reliant les propriétés intrin-sèques des entités distinguées» (p. 280). Ce qui justifie à ses yeux qu'on puisse décrire la personnalité d'un Dogon comme constituée d'un «foisonnement» ou d'un «feuilletage» de composantes, comme l'a vu Germaine Dieterlen quand elle explique, à propos des Dogons, que chaque humain est formé d'un corps *gódu*, de huit âmes *kikinu*, de «huit graines de clavicule et d'un grand nombre de parcelles de "force vitale" *nàma*, à quoi s'ajoute un double animal. Les huit âmes *kikinu* se répartissent en quatre "âmes de corps", elles-mêmes divisées... » Arrêtons là la des-cription de cette prodigieuse complexité des composantes de la personne de chaque Dogon qui se trouve non seulement être un alliage composite et absolu-ment unique mais encore un être chaque jour différent de ce qu'il était la veille

---

4. *Par-delà nature et culture*, NRF / Gallimard, «Bibliothèque des sciences humaines», 2005, 623 p.

étant donné la mobilité constante de ses parties constitutives. Ce qui explique qu'Amadou Hampaté Ba, le grand sage africain, ait pu rapporter à sa manière souriante ce petit souvenir : « Ma propre mère, chaque fois qu'elle désirait me parler, faisait tout d'abord venir ma femme et ma sœur et leur disait : "J'ai le désir de parler à mon fils Amadou, mais je voudrais, auparavant, savoir lequel des Amadou qui l'habitent est là en ce moment."[5] »

Senghor a insisté de très nombreuses fois sur l'importance de l'image analogique dans l'expression poétique nègre en l'associant à la liberté du rythme. Les langues africaines sont *enceintes d'images*, aimait-il répéter, insistant sur la très grande facilité à passer par l'analogie d'une image à l'autre. « Il suffit de nommer la chose pour qu'apparaisse le *sens* (on pourrait dire l'analogie, DD) sous le *signe*. Car tout est signe et sens en même temps pour les Négro-Africains ; chaque être, chaque chose, mais aussi la matière, la forme, la couleur, l'odeur et le geste et le rythme et le ton et le timbre : la couleur du pagne, la forme de la kôra, le dessin des sandales de la fiancée, les pas et les gestes du danseur, et le masque, que sais-je[6] ? »

De sorte que le rythme est aussi là, dans ce flux incessant des images analogiques.

Senghor a très bien senti l'importance de ne pas s'enfermer dans la dualité occidentale du signe mais, quoique linguiste, il lui a manqué une théorie unificatrice du sujet, que fourniront plus tard Émile Benveniste et Henri Meschonnic, pour formuler pleinement sa théorie du rythme. Peut-être aussi que, s'il n'était pas devenu un homme politique de premier plan, il aurait eu le temps de faire avancer plus solidement sa réflexion qui s'arrête en vérité dans les années 1960 quand il est élu à la présidence de la République du Sénégal.

À défaut d'une théorisation aboutie de la Re-naissance d'une poésie nègre écrite, ses poèmes des années 1950 portent toutefois très bien témoignage du sens de sa recherche et de la force de son exigence. Il avance de surcroît sur deux autres points des réflexions que nous considérerons brièvement avant de passer à l'examen des poèmes : il s'agit du vers et de la ponctuation.

Le vers

La distinction entre mètre et rythme n'est pas assurée de manière nette par Senghor, pas plus qu'elle ne l'était chez les théoriciens du vers et de la versification de son temps (Lote, Mazaleyrat).

L'expression que nous avons rencontrée à l'instant – *versification rythmée* – est à cet égard très ambiguë. Or il importe que le professeur qui travaillera avec

---

5. Cité dans Descola, *op. cit.*, p. 308.
6. « L'apport de la poésie nègre au demi-siècle », *Liberté I, op. cit.*, p. 142.

les documents sonores que cette livraison fournira ait des idées simples sur cette question. Résumons donc quelques fondamentaux.

Le vers français est un mètre syllabique, c'est-à-dire qu'il repose sur un nombre déterminé de syllabes ; les trois principaux mètres qui se sont imposés dans la poésie française sont fondés sur les chiffres huit (octosyllabe), dix (décasyllabe) et douze (dodécasyllabe appelé aussi alexandrin). Ces deux derniers modèles de vers sont césurés, c'est-à-dire qu'ils se constituent de deux hémistiches (6 + 6 pour l'alexandrin qui, par sa symétrie parfaite, est le vers régulier des Classiques ou 6 + 4 ou 4 + 6 pour le décasyllabe) tandis que l'octosyllabe ne comporte pas de césure. Le vers dit *régulier* est fondé sur ce principe quantitatif et l'expression *vers libre* ne désigne que des tentatives faites au XIXe siècle par des poètes comme Verlaine désireux de secouer le joug classique en tentant des vers de neuf ou onze syllabes mais en vérité le *vers libre* n'existe pas, ou seulement pour l'œil. Le second principe qui gouverne le vers français est l'isométrisme, principe d'égalité qui impose que les vers aillent toujours par deux.

Le rythme concerne aussi bien la prose que la poésie et, à dire vrai, ignore cette dichotomie, comme l'a d'ailleurs affirmé la poésie du XXe siècle. Dire qu'une versification est rythmée n'a pas, dans ces conditions, de sens, puisqu'elle est, par une nécessité linguistique, première.

Les métriciens français comme Grammont (que Senghor connaissait) ont tenté d'introduire une régularité accentuelle dans la définition du vers. Étant donné que l'accent en français tombe sur la dernière syllabe accentuable (qui ne soit pas un e dit *muet*), on peut concevoir que chaque vers ou chaque hémistiche se compose d'unités accentuelles de longueur variable (une, deux, trois, quatre, cinq, six syllabes) et qu'un alexandrin par exemple découpé par la métrique (6 + 6) soit analysable par le décompte de ses unités accentuelles (3 + 3 + 4 + 2) mais, ce faisant, on introduit un principe d'analyse d'une autre nature qui vaut pour tel ou tel exemple de vers (on distinguera donc « modèle de vers » et « exemple de vers ») et permet de rendre compte en partie de son rythme (puisque l'accent est un des constituants du rythme) mais ne vaut pas pour sa reconnaissance en tant que tel (par son égalité interne, *endométrisme*, et son égalité avec un autre, *isométrisme*).

Le verset que pratique Senghor dans ses premiers recueils, à l'instar de Paul Claudel ou Saint-John Perse, est le plus souvent constitué d'une combinaison nouvelle de modèles *métriques* de base, par exemple 8 / 8 / 6 ou 6 / 8 / 6.

Vous Tirailleurs sénégalais / mes frères noirs à la main chaude / sous la glace et la mort **(8-8-6)**
Qui pourra vous chanter / si ce n'est votre frère d'armes / votre frère de sang ? **(6-8-6)**

Je ne laisserai pas la parole aux ministres, / et pas aux généraux **(12-6)**
Je ne laisserai pas / – non ! – les louanges de mépris / vous enterrer furtivement. **(6-8-8)**
Vous n'êtes pas des pauvres / aux poches vides sans honneur **(6-8)**
Mais je déchirerai / les rires *banania* / sur tous les murs de France. (6-6-6)

(« Poème liminaire », *Hosties noires*, *O. P.*, p. 55)

Mais progressivement, sous l'influence de Perse, le souci de répartir régulièrement les unités accentuelles l'emporte sur celui de faire se suivre des unités métriques égales. C'est ainsi qu'il faut comprendre l'expression *versification rythmique* : Senghor cherche à assouplir le verset, à ne plus le soumettre à la contrainte du modèle métrique. Soit le début de l'« Élégie des alizés » :

> Ce juillet, cinq ans de silence, depuis les trompettes d'argent. **(3+5-8)**
> Il fallait bien conduire le troupeau par tanns et harmattans, car la liberté est désert **(6+3-6-8)**
> Maintenant que dissipés les mirages, je veux à l'ombre des tamariniers **(10 non césurables-10 non césurables)**
> Abreuver de miel fauve / mon troupeau de têtes laineuses, / lui chanter paroles de vie / fortes comme l'alcool de mil. **(6-8-8-8)**
> Je chanterai le mufle humide et robe blanche et croissant d'or de ma génisse **(8-8+4 ou 12 non césurable)**
> À la Toussaint d'enfance, / chanterai le retour des Alizés. **(6-10)**
>
> (*Élégies majeures*, O. P., p. 261)

Chaque fois que le signe « + » intervient, c'est le signe qu'une versification « rythmique » l'emporte sur la versification métrique. Lorsqu'il est impossible de césurer un modèle 10-syllabes ou 12-syllabes, il en va de même puisque, nécessairement alors, le rythme accentuel sera le seul moyen d'analyser des unités.

Comme ces deux exemples le montrent, Senghor reste attaché à une pratique fondamentalement régulière ou réglée de la versification, c'est-à-dire à base métrique.

La ponctuation

Senghor a toujours été attentif aux questions de ponctuation et celle-ci a un rapport certain avec le rythme puisqu'elle indique par sa présence une pause que précède nécessairement un accent. S'il est vrai que l'accent en français tombe sur la dernière syllabe accentuée du mot ou du groupe de mots, cela veut dire qu'il y a accent à la fin de chaque unité syntagmatique. Par exemple, on accentuera ainsi un énoncé comme : *Sur l'étang du château' na' gent deux cygnes blancs'.* Il comptera trois groupes accentuels. Mais si l'on allonge cet énoncé : *Sur l'étang du château perdu dans les brumes nagent lentement deux cygnes blancs majestueux*, l'accentuation n'est pas automatique. Sans ponctuation interne, on pourra ne s'arrêter que sur *brumes*, *lentement* et *majestueux* et continuer de ne marquer que trois temps forts. Cela implique une diction assez rapide, comme celle de la parole cursive ordinaire. Mais si l'on choisit une diction lente et qu'on ajoute une ponctuation de ce genre : *Sur l'étang du château, perdu dans les brumes, nagent, lentement, deux cygnes blancs, majestueux*, on double le nombre des accents (sur -*teau*, *bru*-, *na*-, -*ment*, -*blancs*, -*eux*), de trois accents forts à six. Ce qui modifie profondément le rythme accentuel et par là le sens : d'une notation rapide, au caractère informatif, on sera passé à une évocation rêveuse, mélancolique. Car le rythme fait sens, il faut le dire et le redire ; non le seul rythme accen-

17

tuel, certes, car l'accent n'est qu'un des constituants du rythme, mais un constituant important.

Dans ses dernières conférences, d'inspiration francophoniste, Senghor a fait
l'éloge de la langue française en l'associant au génie de la clarté qui serait, selon
lui, le propre de cette langue, clarté dont la ponctuation serait l'un des fleurons. Il
écrit à ce sujet[7] : « Ce qui, plus que tout autre fait grammatical, caractérise le génie
français, c'est l'emploi que voici de la virgule. Dès que le fameux "ordre direct" de
la phrase ou de la proposition est perturbé, on marque l'idée, le sentiment ou le
fait mis en relief en l'encadrant par deux virgules, par un point et une virgule, par
une virgule et un point, selon la circonstance. »

Il semble oublier qu'il a œuvré trente ans plus tôt à une pratique bien différente de la ponctuation, plus novatrice, usant d'une ponctuation « expressive »,
pour reprendre ses propres termes. On peut, dit-il en effet, dans la Postface
d'*Éthiopiques*, « réciter le poème selon la tradition française, en soulignant l'accent
majeur de chaque groupe de mots. La ponctuation *expressive*, dont j'ai usé dans ce
recueil, y aidera, j'espère » (*O. P.*, p. 167). Phrase où la ponctuation dont il use va
bien dans le sens de la « clarté » française mais dont le propos va au-delà de cette
notion « mythique », autorisant à parler de « ponctuation rythmique ».

Donnons un exemple de cette pratique emprunté à « L'Absente » :

> La voilà l'Éthiopienne, fauve comme l'or mûr incorruptible comme l'or
> Douce d'olive, bleu souriante de son visage fin souriante dans sa prestance
>
> (« L'Absente », *Éthiopiques*, *O. P.*, p. 113)

L'absence de virgule après « mûr » et après « visage » ne va pas du tout dans
le sens de la clarté puisqu'elle sous-ponctue l'énoncé (alors que le souci de la clarté
conduit à sur-ponctuer) et cherche à proposer (imposer ?) un rythme à séquence
longue, à inscrire comme en filigrane une partition derrière le texte du poème. Le
poète de 1956 se montre plus audacieux que le professeur et ancien président de
la République, en tentant d'innover de manière équilibrée mais ferme.

L'absence de toute ponctuation, en effet, n'étonne plus en 1956, depuis
qu'Apollinaire, par un coup de force qui s'est révélé dans toute son audace tout au
long du XXe siècle, a décidé de supprimer toute ponctuation en relisant les épreuves
d'*Alcools*. Dans l'esprit du poète, l'absence de ponctuation avait une fonction
« cinétique », pour moderniser et désacraliser la diction du poème. Ce qu'il a pour-
suivi en adoptant, dans les enregistrements de certains poèmes qu'il fit à la Sor-
bonne, une diction « plate », sans pause, sans « expression ». Senghor choisit une
formule plus nuancée, comme d'autres poètes français d'ailleurs, en essayant de
donner à la ponctuation une fonction rythmique, au sens qu'il donne à ce terme,
c'est-à-dire polyrythmique. Il n'est pas en effet impossible de compléter la pensée
de Senghor sur ce point. Il indique qu'il ne cherche ce faisant qu'à se conformer à
une diction « française ». Ce qui est incontestable puisque le paramètre sur lequel

---

7. « De la francophonie à la francité » (1985), *Liberté V, Le dialogue des cultures*, Éditions du Seuil, 1993,
p. 271.

on joue est la présence et la fonction de l'accent dans le discours français. Mais il est permis de penser qu'il songe en fait à l'accompagnement des instruments à percussion dont il a été question plus haut et qui, selon ses dires, déterminent en profondeur le fameux «rythme de base».

Prenons l'exemple du verset 76 de «L'Absente» :

> Vous êtes belles jeunes filles, et vos gorges d'or jeunes feuilles par la voix du Poète. (*op. cit.*, p. 115)

L'absence de ponctuation par une virgule après «filles» et après «feuilles» tente de changer le statut grammatical de ces deux termes tel qu'il avait été donné précédemment dans le poème : au tout début du poème, «Jeunes filles aux gorges vertes, plus ne chantez», où *jeunes filles* est un vocatif, ou dans la strophe VII où l'on trouve «Mais vous ô jeunes feuilles, chantez la victoire du Lion», où *jeunes feuilles* est également, nécessairement, en raison de la présence de la virgule, un vocatif. Par contre, dans le verset 76, «jeunes filles» et «jeunes feuilles» sont nécessairement, par l'absence de toute virgule, des attributs du sujet et présentés dans un parallélisme métrique (8 / 8) qui impose un jeu de paronomase (mots que rapproche leur seule ressemblance sonore), une sorte de rime intérieure, support d'une analogie animiste très africaine (les êtres humains sont de même nature que les êtres végétaux).

Le meilleur de lui-même, ainsi que Senghor l'a d'ailleurs affirmé, est dans ses poèmes. Les justifications qu'il en donne *a posteriori* dans ses nombreux écrits théoriques sont fluctuantes, partagées qu'elles sont entre ambitions théoriciennes, nécessités politiques (au meilleur sens du terme) et sentiment d'être un *dyali*, un porte-parole, un «maître-de-langue».

Pour conclure sur ce point, on peut dire que Senghor utilise bien, comme il le dit, la présence de ponctuation pour «souligner l'accent majeur de chaque groupe de mots» mais qu'il ne le fait pas de façon systématique, ne serait-ce que parce qu'il utilise surtout l'*absence* de ponctuation pour tenter de libérer un rythme que le français ponctué selon les normes ne permet pas d'entendre et qui accorde à la métrique, en particulier, au rythme, en général, et à la performance une fonction productrice essentielle.

La performance

Sur ce point encore la manière dont Senghor accepte de perdre la maîtrise de la vie sémantique de son poème est novatrice et issue de sa relation avec la musique.

Dans le vocabulaire des linguistes, la *performance* s'oppose à la *compétence*, comme la parole (concrète) à la langue (abstraite). La compétence permet de former des phrases grammaticales dans une langue donnée, mais seule la mise en discours, l'énonciation concrète (écrite ou orale) donnera à ces phrases leur intentionnalité, leur sens. Dans le vocabulaire de la critique poétique du XXe siècle, le terme *performance* (d'origine anglaise, *to perform* c'est «exécuter») désigne plus largement tout un courant de production textuelle, influencé par les «événements» poétiques chers aux poètes de la *beat generation*, qui récusent l'impuissance de la poésie muette post-mallarméenne, et mettent l'essentiel dans l'investissement physique de la voix et du corps. «Une performance est une forme d'œuvre qui utilise plusieurs langages artistiques ou non, où se rencontrent des éléments planifiés et d'autres aléatoires. Le public en fait partie intégrante, l'œuvre devient action elle-même. On parle aussi de happening[8].» Rien de plus éloigné en apparence de l'univers senghorien que les performances parfois scandaleuses de poètes français comme Artaud, François Dufrenne ou Bernard Heidsieck ou américains comme John Corso ou Allen Ginsberg. Pourtant quand Senghor écrit que «le poème est comme une partition de jazz, dont l'exécution est aussi importante que le texte», il rejoint ce courant de la réflexion sur la poésie qu'avait reconnu Paul Valéry lorsqu'il écrivait que «Le poème n'a pas de sens sans SA voix», ajoutant que «le vrai "devoir" à faire faire [par l'école] serait de *demander aux élèves de compléter le texte donné par des indications de mouvement, d'intensités et de rythme que le texte leur suggère, et qui, à leur sentiment, doivent lui donner tout son effet[9].»* En indiquant nettement à la suite quatre possibilités (*On peut...* est répété quatre fois) de réalisation orale, quatre possibilités de performance – «récitation selon la tradition française», «en s'accompagnant d'un instrument de musique», «psalmodie sur un fond musical», «chant sur une partition» –, Senghor se différencie des traditions grammatocentristes de la poésie française et s'inscrit dans le courant oraliste. C'est sur cette base que le présent numéro du *Français dans le monde* consacré à «Senghor et la musique» a engagé les expériences dont il est rendu compte ici.

On peut regretter toutefois que la réflexion du poète sénégalais ne soit pas parfaitement achevée. Deux points restent en vérité un peu obscurs.

En ce qui concerne le premier mode de performance possible indiqué par Senghor, le poète dit que «la ponctuation *expressive* dont j'ai usé dans ce recueil, y aidera, j'espère». Or on a vu qu'en réalité il sous-ponctue ses poèmes, distordant les usages de la ponctuation française. Serait-ce sous l'influence de la deuxième possibilité d'exécution, «en s'accompagnant d'un instrument de musique» où, selon lui, il s'agit de souligner l'accent final du verset et ceux des arêtes lyriques»? Car il ne peut pas y avoir un seul accent final pour un seul verset de 22 syllabes! Que désigne par ailleurs l'expression énigmatique «arêtes lyriques»?

Le mieux, pour trouver la réponse à ces questions, est sans doute de nous attacher à un texte précis.

---

8. Isabelle DE MAISON ROUGE, *L'Art contemporain*, Le Cavalier bleu éditions, 2004, p. 124.
9. Paul VALÉRY, *Cahiers II*, Pléiade, 1974, pp. 1579-1581.

PROPOSITIONS POUR LA MISE EN RYTHME MUSICAL D'UN POÈME

Essayons d'imaginer l'exécution selon les possibilités 1 et 2 proposées par Senghor d'un poème comme « La mort de la Princesse » (*pour un tam-tam funèbre*) :

> Voix du tam-tam ! Tam-tam du Gandoun tam-tam de Gambie, et tam-tam de la rive adverse.
> Elle dit : Paix ! et proclame ton nom. Voici le message fidèle :
> – Ma sœur Princesse de Belborg s'en est allée.
> Mais transmission de sa réponse scellée de son sceau pur
> Une étoile de gueules chargée d'un croissant d'or.
> « Amitiés de la Princesse ! J'ai bien entendu ton message.
> « Il a fait mon cœur frais si frais ! Boisson exquise mets de prédilection.
> « Mes devoirs m'ont retenue dans mes terres. Les querelles des clans rongeaient le sol
> « Les passions débordaient, qui minaient les maisons dans leurs assises.
> « Comment fleurir dans les loisirs quand il me faut raccommoder et rebâtir ?
> « La tâche surpassait mes forces, et ta parole était poison au réveil de l'ivresse.
> « Ah ! ces nuits brèves mais trop brèves, où je veillais repassant tes épîtres sous la lampe.
> « Dehors le vent tremblait dans les bouleaux, et sans fin hululaient les chouettes.
> « Je n'atteindrai pas le Printemps, l'aurais-je atteint
> « Le feu du ciel ruinera dans la minute les monuments des Hommes-blancs.
> « Mon Prince noir, retiens donc ce message comme j'ai fait le tien.
> « Qu'il te soit nourriture simple, le pain le sel et le ciel.
> « Garde l'image de la Princesse de Belborg, comme le grain l'hiver dans la mort de la terre. »
> Elle a parlé elle s'est tue elle n'est plus.
> Elle repose maintenant, grande et très droite
> Et belle, ivoire mûr en sa robe de neige au parfum d'oranger.
> Elle repose sous le sapin bleu, les cheveux sagement comme des gerbes de blé mauves.

> («La mort de la Princesse», *Éthiopiques*, *O. P.*, pp. 145-146)

Les deux premiers versets lancent le mouvement. Les allitérations, nombreuses à partir de la matrice onomatopéique *tam-tam*, imposent un début puissant, *forte*, de tonalité plutôt voilée (en conformité avec l'adjectif tam-tam « funèbre ») comme l'indique la présence de nombreuses consonnes nasales et de deux voyelles nasalisées, où alternent deux frappes, l'une sèche, sur le bord du tambour (correspondant aux occlusives sourdes /t/ et /p/), l'autre sonore, plus au centre du tambour (correspondant aux occlusives sonores /g/, /d/ et /b/), suivies pour la fin du verset 1 d'un glissé ralenti accompagnant les consonnes continues /v/ et /s/ avant le coup sec et fort du monosyllabe « Paix ! ». Aucun accompagnement pour « Voici le message fidèle » que ne travaille aucune figure sonore.

Sur le récit proprement dit, on peut à nouveau essayer d'imaginer le contrepoint rythmique et le jeu suggéré à l'instrument d'accompagnement à partir des sonorités verbales. Sur la base des allitérations en /f/ et de la reprise du mot « frais » au verset 7, suivi d'allitérations en /s/, on pourra songer à des coups légers et assourdis que suivra pour les cinq suivants un frémissement discret des doigts de l'exécutant sur la peau du tambour, puisque rien n'y est particulièrement saillant au plan sonore. Puis le verset 12 « Ah ! ces nuits brèves mais trop brèves », fortement attaqué par l'exclamation avec peut-être ici une intervention vocale, se poursuivra par une série de frappes violentes que suivra un schème rythmique reprenant en écho le rythme du verset 6.

De même, à la fin du récit (v. 19 à 22), la « répétition des mêmes figures grammaticales » (« Elle a parlé elle s'est tue elle n'est plus » ou « grande et très droite et belle » ou « Elle repose…Elle repose » en reprise anaphorique) pourra correspondre à une cadence de marche funèbre dont chaque séquence ira *crescendo* vers l'aigu (les voyelles accentuées /é/ et /y/ sont aiguës) puis redescendra progressivement vers le grave jusqu'à s'éteindre avec « mauves ».

Ces quelques indications tentent de mettre en correspondance les indications rythmiques verbales encodées par le poète et le soulignement des « arêtes lyriques » que doit réaliser l'instrumentiste mais, nous l'avons vu, le poète laisse à celui-ci la plus grande latitude pour puiser dans son savoir propre pour réaliser le rythme d'ensemble. La troisième possibilité de performance indiquée par Senghor est encore plus libérale puisqu'il ne s'agit plus alors que d'un *fond* et non plus d'un *accompagnement* sonore.

Poésie, rythme et peinture

Il n'est pas inintéressant pour terminer cette présentation du rôle de la musique dans la poésie de Senghor de parler du rôle de la peinture dans le travail du poète. Ne serait-ce que pour montrer comment sa poésie n'est pas séparable d'un dialogue avec tous les arts.

Dans la courte préface qu'il a donnée à un livre d'art intitulé *Formes* et contenant seize planches d'Émile Lahner (1959)[10], Senghor commente les gravures de cet artiste en recourant encore une fois à la notion de rythme. Rythme du trait mais surtout rythme des couleurs, « posées par aplats, qui épousent les formes. Le rythme des formes, la vie des formes s'épanouit, éclate dans les couleurs. Les couleurs sont fleurs. Car les couleurs ont aussi leur rythme, leurs rythmes et leur signification ». Ce qui à ses yeux permet de parler dans le cas de cet artiste d'une *peinture-musique*.

Senghor a entretenu une relation étroite avec la peinture. Devenu président, il a organisé à Dakar trois expositions au Musée dynamique de Dakar : une exposition Marc Chagall en 1971, une exposition Picasso en avril 1972 et une exposition Soulages en novembre 1974. Le choix de ces trois peintres pour ces trois expositions n'est pas dû au hasard mais au fait qu'il connaissait personnellement ces trois artistes et les considérait comme des amis. Il les avait rencontrés durant ses années parisiennes, dans le prolongement de son amitié avec Georges Pompidou,

---

10. « Le lyrisme de Lahner », *Liberté I, Négritude et humanisme*, p. 292.

lui-même amateur et collectionneur de peinture. Sa relation avec Picasso est, quant à elle, une des plus anciennes, remontant aux années de guerre.

Le poète possédait lui-même une remarquable collection de tableaux parmi lesquels, outre des œuvres des artistes que l'on vient de nommer, figuraient des œuvres de Vieira da Silva, Pedro Florès et Émile Lahner. D'autres artistes ont illustré certains de ses recueils : Alfred Manessier, Hans Hartung et Étienne Hadju.

Senghor se plaisait en compagnie d'artistes : « Je connais personnellement beaucoup plus d'artistes, de peintres, de sculpteurs, que de poètes en France. [...] C'est parce que je sens que les artistes m'apportent quelque chose de nouveau, et en même temps les artistes expriment en images plastiques des choses que je sens et que j'aurai besoin d'exprimer d'une façon immédiate, sans même le secours de la parole, sans le secours du mot. En tout cas, ce que les artistes m'apportent, c'est ce complément d'images, ce complément de rythmes que je sens au fond de moi-même et que je veux exprimer dans mes poèmes », déclare-t-il en 1978 à une émission d'Antenne 2.

Cet amour de la peinture, cette importance accordée au rythme des formes et des couleurs ont exercé une influence certaine sur sa pensée et son œuvre. La période comprise entre 1960 et 1980 a été au Sénégal, sous l'impulsion du Président Senghor, le théâtre de profonds changements dans le domaine culturel. Rappelons seulement le Premier Festival mondial des Arts nègres d'avril 1966 et le soutien accordé à une politique culturelle ambitieuse qui permettra aux artistes sénégalais de l'École de Dakar d'accéder à une reconnaissance internationale.

Les peintres auxquels Senghor a consacré des études, il les crédite d'avoir su quitter l'art-imitation qui a longtemps dominé l'esthétique occidentale pour un art-invention. Cet art-invention doit beaucoup à l'art nègre dont la découverte a bouleversé de manière irréversible l'inspiration des artistes, ce que reconnaissent les plus grands comme Picasso qui en voyant des masques africains au Musée de l'Homme dit avoir compris qu'ils exprimaient « le sens même de la peinture » : servir d'intermédiaires entre les hommes et les forces qui agissent dans le monde. Primitivisme et modernité se rencontrent pour retrouver l'émotion, l'émotion qui est ébranlement (com-motion) et mouvement (é-motion), source du rythme de la vie : « Le rythme qui naît de l'émotion, engendre à son tour l'émotion. »

Comment, dans ces conditions, Senghor n'eût-il pas été mené à l'idée de composer ses poèmes comme des tableaux ? Penser, par exemple, une couleur non dans sa seule valeur réaliste et descriptive, non même dans sa seule valeur symbolique mais comme un constituant poétique à part entière, susceptible en conséquence de qualifier des objets, êtres ou entités pour lesquelles cette qualité ne semble pas pertinente (*songe bleu, lettre bleue, ailes bleues, merle bleu, rêve bleu, boire le bleu, vivre le bleu*, etc.). De même que Soulages fait sortir le rythme des variations d'une seule couleur, le noir, Senghor semble avoir fait dans le recueil *Lettres d'hivernage* qui paraît en 1972 un usage poétique du bleu. Non seulement ce recueil est placé sous le signe de la couleur bleue, omniprésente à travers les éléments récurrents que sont le ciel et la mer, et renforcée par l'emploi explicite de l'adjectif « bleu » plus d'une dizaine de fois, mais le poète s'efforce de manière visible à nuancer et faire varier sans cesse cette couleur de base, en l'associant fortement à d'autres, proches comme le vert, le gris et le violet ou contrastées comme le rouge ou le jaune. Une monochromie de base qui se réalise en une polychromie. Ces poèmes de *Lettres d'hivernage* n'ont désormais plus – notons-le – besoin de recourir à la musique car ils sont essentiellement picturaux. Ce sont des poèmes intimistes, avares d'effets sonores. De petites aquarelles riches en couleurs, mais où celles-ci sont utilisées par touches légères, à la manière des certaines compositions de Matisse et non comme dans les grands poèmes d'*Éthiopiques* ou dans ceux qui termineront le cycle de la poésie senghorienne, les Élégies majeures, dans une puissante association symphonique avec la musique.

Citons pour illustrer cette inspiration nouvelle et exceptionnelle dans l'œuvre de Senghor – au point que la critique s'est en général détournée de ce recueil comme s'il n'était pas assez senghorien ! – le poème intitulé « C'est cinq heures » :

> C'est cinq heures, tu dirais, le thé. Dix-sept heures.
> Ta lettre de pain tendre, douce comme le beurre, sage comme le sel.
> Et la lumière sur la mer trop verte et bleue
> Et la lumière sur Gorée, sur l'Afrique noire blanche mais rouge.
> Il y a – pourquoi le Dimanche ? – la guirlande des bateaux blancs
> Vers les rivières du Sud, vers les fjords du Grand Nord.
> Ta lettre telle une aile, claire parmi les mouettes voiliers.
> Il fait beau, il fait triste.
> Il y a Gorée, où saigne mon cœur mes cœurs.
> La maison rouge à droite, brique sur le basalte
> La maison rouge du milieu, petite, entre deux gouffres d'ombre et de lumière
> Il y a ah ! la haute maison rouge, où saigne si frais mon amour, comme un gouffre
> Sans fond. Là-bas à gauche au nord, le fort d'Estrées
> Couleur de sang caillé d'angoisse.

(« C'est cinq heures », *Lettres d'hivernage*, O. P., p. 230)

Le rôle central de la couleur est évident mais à ne lire que ce poème, on trouvera peut-être que le bleu n'est pas si présent que cela ; il faut resituer ce texte dans un recueil où la couleur bleue du papier à lettres de l'aimée envahit des paysages inondés d'une trop forte lumière. Mais il est vrai que c'est ici le rouge qui est en déclinaison majeure, allégé de beaucoup de blancs et de plages ombreuses. Et les mots du poème suivent ce travail par touches de couleur, en étant eux-mêmes jetés par touches, bizarrement superposés (« cinq heures » / « dix-sept heures »), accumulés comme en vrac (« noire blanche mais rouge »), répétés avec d'infimes variations (« mon cœur » / « mes cœurs » ou « la maison rouge du milieu » / « la haute maison rouge »). La sonorité des mots donne certes un rythme certain – comment pourrait-on écrire un poème sans que le rythme des accents et des sonorités le porte vers son sens ? – mais c'est la couleur qui construit un poème pensé comme un tableau.

La note grave qui ponctue ce poème n'est pas unique, le premier poème du recueil (p. 229) évoque « la nuit de mes angoisses », les cauchemars qui peuplent le sommeil de l'amant séparé de l'amante (« Les crabes jaunes qui proprement me mangeaient la cervelle. », p. 229 ou « Cette fièvre aux entrailles le soir, à l'heure des peurs primordiales. », p. 240) mais alterne avec une tendresse amusée, comme quand, à plusieurs reprises, le poète fait des canards sauvages ses compagnons d'élection : je pense à toi « comme le noir canard sauvage au ventre blanc », « je médite avec les canards sauvages » (p. 238).

> Ainsi les canards du Dimanche, et mon stylo
> Ailé est comme le canard sauvage à ras de vague. (p. 240)
> [...]
>
> À l'eau je dis au sel, au vent au sable, au basalte et au grès
> Comme la blanche mouette et comme le canard noir, le crabe rose. (p. 250)

Ce ton « dépathétisé » n'en fait que mieux ressortir le lyrisme simple et grave de ce recueil qui est chant d'amour, voire de désir, et donc de manque. Nulle part mieux que dans ces poèmes intimes, on ne mesure mieux que, si la poésie de Senghor a jusqu'en 1960 tressé en une natte serrée et pensée fortement poésie, politique et émotion lyrique, à partir du moment où il devient président, le nœud se desserre, l'amour de la poésie l'emportant ou en tout cas pesant d'un poids plus lourd désormais que la volonté politique et idéologique. Comme peut l'illustrer par la dernière strophe d'un des derniers poèmes du recueil qui fait écho par une même situation d'énonciation d'écriture (l'heure du thé) à celui que nous avons lu à l'instant :

> Or je suis fatigué qu'il soit l'heure du thé, et le jardin est clair
> Autour de la fontaine, sous la statuette d'Afrique.
> Mon cœur est couleur de l'ampélopsis quand je regarde tes yeux de mémoire
> Et je suis fatigué, non las hélas ! mais fatigué
> De n'aller nulle part quand me déchire le désir de partir. (p. 248)

Que ceux qui ne connaissent de Senghor que « Femme nue, femme noire » ou les grands poèmes d'*Éthiopiques* lisent *Lettres d'hivernage* et ils verront et entendront le poète parfois un peu solennel que l'histoire a statufié comme tel, vivre, marcher, nager avec un corps comme le nôtre, aimer de tout son corps surtout, ce qui veut dire souffrir, de l'attente, de la séparation.

> Au bout de l'épreuve et de la saison, au fond du gouffre
> Dieu ! que je te retrouve, retrouve ta voix, ta fragrance de lumière vibrante.
> (p. 258)

Derniers vers d'un recueil dévoué à la lumière et à la couleur qui dit dans la chair de ses mots l'amour de Senghor pour la poésie et la peinture, mieux pour la poésie-peinture. Ajoutons toutefois que, à nos yeux, ce recueil montre à quel point Senghor est profondément et d'abord poète car, si les théorisations qui sont derrière les écrits de Senghor critique d'art se révèlent, comme nous l'avons vu, étroitement transposées de ses idées sur le processus de la création verbale, et de ce fait, à nos yeux, un peu systématiques, *Lettres d'hivernage* montre bien comment la fréquentation des peintres et la méditation sur la peinture ont agi comme aiguillon créateur sur le poète, lui permettant de trouver une liberté de ton et un renouvellement de son inspiration très remarquable.

Pour conclure : Plus qu'aucun autre poète de son temps peut-être, Senghor a tenté d'accorder sa production poétique avec une pensée.

Portraits de griots

« Je suis le dyali » (Senghor)

Senghor se présente à plusieurs reprises comme le « maître de langue », le « dyali », le porte-parole de son peuple. Nous présentons ci-après quelques extraits d'écrivains africains qui présentent ce personnage de chanteur-diseur-musicien si important dans la civilisation orale africaine.

Écoutons pour commencer le grand griot Mamadou Kouyaté avant qu'il ne se lance dans la longue épopée mandingue Soundjata :

Je suis griot. C'est moi Djeli Mamadou Kouyaté, fils de Bintou Kouyaté et de Djeli Kedian Kouyaté, maître dans l'art de parler. Depuis des temps immémoriaux les Kouyaté sont au service des princes Kéita du Manding : nous sommes les sacs à parole, nous sommes les sacs qui renferment des secrets plusieurs fois séculaires. L'Art de parler n'a pas de secret pour nous ; sans nous les noms des rois tomberaient dans l'oubli, nous sommes la mémoire des hommes ; par la parole nous donnons vie aux faits et gestes des rois devant les jeunes générations.

Je tiens ma science de mon père Djeli Kedian qui la tient aussi de son père ; l'Histoire n'a pas de mystère pour nous ; nous enseignons au vulgaire ce que nous voulons bien lui enseigner, c'est nous qui détenons les clefs des douze portes du Manding.

Je connais la liste de tous les souverains qui se sont succédé au trône du Manding. Je sais comment les hommes noirs se sont divisés en tribus, car mon père m'a légué tout son savoir : je sais pourquoi tel s'appelle Kamara, tel Kéita, tel autre Sidibé ou Traoré ; tout nom a un sens, une signification secrète.

J'ai enseigné à des rois l'Histoire de leurs ancêtres afin que la vie des Anciens leur serve d'exemple, car le monde est vieux, mais l'avenir sort du passé.

Ma parole est pure et dépouillée de tout mensonge ; c'est la parole de mon père ; c'est la parole du père de mon père. Je vous dirai la parole de mon père telle que je l'ai reçue ; les griots de roi ignorent le mensonge. Quand une querelle éclate entre tribus, c'est nous qui tranchons le différend car nous sommes les dépositaires des serments que les Ancêtres ont prêtés.

Écoutez ma parole, vous qui voulez savoir ; par ma bouche vous apprendrez l'Histoire du Manding.

Par ma parole vous saurez l'Histoire de l'Ancêtre du grand Manding, l'Histoire de celui qui, par ses exploits, surpassa Djoul Kara Naïni ; celui qui, depuis l'Est, rayonna sur tous les pays d'Occident.

Écoutez l'Histoire du fils du Buffle, du fils du Lion. Je vais vous parler de Maghan Sondjata, de Mari-Djata, de Sogolon Djata, de Naré Maghan Djata ; l'homme aux noms multiples contre qui les sortilèges n'ont rien pu.

D. T. Niane, *Soundjata ou l'épopée mandingue*,
Présence Africaine, 1960 (pp. 9-10)

Tentons d'imaginer le style de sa performance à partir de la description précise qu'en donne Massa Makan Diabaté :

L'art oratoire du griot, comme toute forme d'expression artistique, est extrêmement complexe : plus on l'étudie, plus on distingue les subtilités et les finesses qui font la marque distinctive d'un griot. Une étude détaillée de cet art demanderait une monographie spéciale. Et ce que nous pouvons faire ici, c'est exposer les grandes lignes de cet art.

La plupart des textes sont **déclamés** dans une forme poétique, le vers représentant l'élément rythmique de base, fourni par un instrument : nkoni, kora ou balafon.

Le griot présente son récit moitié chanté, moitié parlé, c'est-à-dire **psalmodié**. Il tisse le rythme de ses paroles autour du rythme de l'instrument, en arrière-plan. Il est à remarquer que peu de griots peuvent parler sans un accompagnement musical : ceux qui n'ont pas un instrumentaliste marquent le rythme du pied ou frappent dans leurs mains.

L'auditoire non averti s'étonne de la façon dont l'artiste varie le rythme de ses paroles, soit en s'accordant sur l'instrument, soit en créant un contretemps. À cet effet, il utilise l'accent phonétique dérivant de la juxtaposition des tons sur chaque mot. Aussi le choix de celui-ci n'est-il jamais arbitraire, encore moins son emplacement dans la phrase.

La seconde technique consiste à varier le nombre de syllabes exprimées dans la même **inspiration**. Et c'est pourquoi le griot doit avant tout acquérir une parfaite maîtrise de sa **respiration**.

Ces trois techniques : rythme, contretemps et variation de la longueur des syllabes constituent les principales techniques qu'emploie le griot pour produire l'effet dramatique. Aussi ne serait-il pas hasardeux de comparer le style du griot à celui du maître des tam-tams, c'est-à-dire le joueur de *jeenbe* qui tisse les rythmes de son instrument autour de la batterie des autres instruments, mettant d'abord en relief un rythme puis un autre. Et tout d'un coup, il joue un morceau à une vitesse étonnante, démontrant sa virtuosité, mais aussi sa sensibilité.

Ces techniques laissent au griot une grande liberté dans la forme de son expression ; mais aussi pour le fond, en dehors des *fasa* (titres d'honneur), il dispose d'une indépendance relative.

En effet, chaque récit, qu'il s'agisse d'une épopée ou d'un conte, a son **intrigue**. Le griot peut prendre sur lui de raccourcir certains passages, en rapporter d'autres deux fois, prendre au fil de sa narration des sentences populaires ou des proverbes. Ainsi un récit n'est jamais identique à l'autre : il s'agit de récits vivants parce que vivant de variantes.

Enfin et surtout, l'auditoire influence le récit : s'il se trouve un *Traoré* dans le groupe, le griot insistera sur les hauts faits de ses ancêtres, tandis qu'en présence d'un *Kanté*, il donnera une image plus flatteuse de *Sumanguru*, le roi du Sosso. Quelquefois, impressionné par un fait politique d'actualité, il fera une excursion dans le passé pour présenter le fait du jour comme la répétition de ce passé.

Ainsi, si la liberté d'expression du griot rend son art plus riche, de par cette même liberté, la vérification de son authenticité devient plus difficile. En effet, l'art du griot rappelle celui du chanteur de blues, les deux artistes travaillant dans un cadre défini qu'est, pour le premier, l'*intrigue*, et, pour le second, la *mélodie* : comme dans le jazz, on ne trouve jamais chez le griot deux récits exactement identiques.

Massa Makan Diabaté, « Le style du griot »,
Notre Librairie n° 75-76, juillet-octobre 1984, (pp. 47-48)

En n'oubliant pas que tout cela se passe dans une oralité vivante et même souriante, comme en témoigne Amadou Hampaté Bâ :

> Après un excellent dîner composé de couscous de mouton et de lait frais, le grand interprète alla s'étendre sur sa chaise longue au milieu de la cour. Une autre chaise longue avait été placée pour moi en face de la sienne.
>
> Namissé Sissoko, assis en tailleur sur une natte historiée entre deux coussins de cuir recouverts d'arabesques, prit en main la grande guitare à quatre cordes que venait de lui apporter son épouse. Il l'accorda un instant, puis attaqua, avec une virtuosité stupéfiante, l'air guerrier traditionnel appelé poye. Il joua cet air durant près de cinq minutes en l'accompagnant d'onomatopées et de sons rythmés qui imitaient à la perfection les sons de l'instrument. On aurait dit deux guitares jouant ensemble. Nous étions si fascinés que personne ne bougeait plus. Le domestique qui préparait le thé, saisi comme nous tous, se mit à verser son eau chaude non dans la théière mais à côté, dans une cuvette en émail. Malheureusement, elle était emplie de sucre. Tout le monde éclata de rire.
>
> Amadou Hampâté Bâ, *Oui mon Commandant !*, Mémoires (II),
> Actes-Sud, 1994, (p. 25)

Pour conclure, avec Camara Laye :

> À l'heure présente, quand on parle de griots, on pense aux griots instrumentistes, à ces marchands de musique, ces choristes ou guitaristes qui errent dans les grandes villes, en quête de studios d'enregistrement. Ce sont des griots certes, mais des marchands de musique, qui déforment volontiers les réalités historiques ; ils ne connaissent que quelques bribes de l'histoire africaine, juste ce qui est nécessaire à l'accomplissement de leur travail de marchands de musique. Les vrais griots, c'est-à-dire les Bélën-Tigui, ou maîtres de la parole, n'errent pas dans les grandes villes ; ils sont rares, se déplacent peu, restant attachés à la tradition et à leur terre natale ; on en trouve un par province, mais ceux-là même, ces authentiques griots, sont accusés de prendre pour argent comptant ce qui n'est que de la fausse monnaie. Et lorsque, s'agissant de retracer l'histoire de l'Afrique, ils peuplent leurs propos d'anges, de féticheurs, de génies, ces génies que bien souvent ils rendent secourables par des prières, des sacrifices et des incantations, quand le griot met en scène l'Afrique et ses mystères, ces mystères qui ne sont guère imaginaires mais réels, ses croyances, tant de choses longues à énumérer, courantes cependant en Afrique, et qui étonnent fort l'Europe, bien que l'Europe ait eu jadis, elle aussi, ses propres mystères et croyances, différents des nôtres, il suffit ou il devrait suffire de le reconnaître pour accepter les nôtres.
>
> En vérité, le griot, un des membres importants de l'ancienne société bien hiérarchisée, avant d'être historien, détenteur par conséquent de la tradition historique qu'il enseigne, est, avant tout, un artiste et, en corollaire, ses chants, ses épopées et ses légendes, des œuvres d'art. La tradition orale tient donc de l'art plus que de la science tout comme le sculpteur africain, la réalité historique placée devant le griot n'est pas contée par lui telle quelle ; il la raconte en employant des formules archaïques ; ainsi les faits se trouvent transposés en légendes amusantes pour les profanes, mais qui ont un sens secret pour les personnes perspicaces.
>
> Camara Laye, *Le Maître de la Parole*, Plon, 1978, (pp. 20-21)

Les instruments de musique présents dans l'œuvre poétique de Senghor : approche sémiotique

Félix Nicodème BIKOÏ
Université de Douala

Doyen de la faculté des lettres et sciences humaines de l'université de Douala (Cameroun). Professeur de littérature française et francophone, il a publié plusieurs ouvrages de français utilisés dans les collèges et lycées d'Afrique. Il est actuellement président de l'Association des professeurs de français d'Afrique et d'océan Indien (APFA-OI) et membre du Haut conseil de la Francophonie (HCF).

Dans Postface pour *Éthiopiques*, Senghor déclare : « Quand nous disons kôras, balafons, tam-tams et non harpes, pianos, et tambours, nous n'entendons pas faire pittoresque ; nous appelons un chat un chat. » (*O. P.*, p. 15) Ailleurs il ajoute : « J'écris d'abord pour mon peuple. Et celui-ci sait qu'une kôra[1] n'est pas une harpe non plus qu'un balafon un piano. » C'est dire que c'est avec le plus grand soin que Senghor choisissait les instruments de musique d'accompagnement de ses poèmes.

En Afrique noire comme ailleurs, on ne joue pas de n'importe quel instrument de musique à n'importe quelle occasion. On n'exécute pas n'importe quel rythme à n'importe quelle occasion. Les mélodies, les rythmes et les instruments de musique sont adaptés aux événements parce qu'ils ont un rôle historique, culturel, social et spirituel. Le lien entre poésie et musique a été longuement développé par Senghor dans des ouvrages théoriques. Dans « Comme les Lamantins vont boire à la source », le poète écrit : « Les poètes nègres, ceux de l'*Anthologie* comme ceux de la tradition orale, sont, avant tout, des "auditifs", des *chantres*. Ils sont soumis, tyranniquement, à la "musique intérieure", et d'abord au rythme. » (*O. P.*, p. 161).

La même idée revient plus tard en 1984 dans une interview : « la poésie, dans les civilisations africaines est d'abord une incantation au sens étymologique du mot : un chant rythmé et dansé ». La conception de la poésie chez Senghor plonge ses racines dans la nuit des temps. En effet, depuis les *Cyclades* (2100 av. J.-C.) et *Imhotep* (2700 av. J.-C.), les hommes savent que, pour ressusciter le

---

1. L'orthographe de certains instruments de musique est double, selon que l'on adopte celle du terroir d'origine ou que l'on s'en tient à celle du dictionnaire quand elle existe.

«tout» de l'idée (énergie vitale), la parole humaine ne suffit plus. Il faut lui adjoindre d'autres sonorités de la nature terrestre, et ces sonorités proviennent de la «voix des dieux» rendue par des instruments du protocole divin appelé «rite» par les sacrificateurs ou «liturgie» par les religions révélées. Senghor s'inscrit aussi dans la tradition du symbolisme dont Valéry donne une définition significative : «ce qui fut baptisé symbolisme se résume simplement dans l'intention commune à plusieurs familles des poètes [...] de reprendre à la musique leur bien». Moréas parlera du symbole comme «l'idée dotée d'une forme sensible, somptueuses simarres des analogies extérieures».

Quels instruments de musique accompagnent les poèmes de Senghor et quel est leur signification ?

Typologie des instruments de musique d'accompagnement des poèmes de Senghor

De *Chants d'ombre* (1945) à *Élégies majeures* (1979) plus d'une cinquantaine de poèmes portent des indications d'accompagnement musical. Alors que *Chants d'ombre* ne compte que deux poèmes de ce genre, tous les poèmes d'*Élégies majeures* sont accompagnés d'instruments de musique et ou de chœurs :

Chants d'ombre : deux poèmes dans ce recueil sont concernés :
– «Que m'accompagnent kôras et balafong» (*guimm pour trois kôras et balafong*);
– «Le retour de l'enfant prodigue» (*guimm pour une kôra*).

Hosties noires compte quatre poèmes avec accompagnement musical :
– «À l'appel de la race de Saba» (*guimm pour deux kôra*);
– «Prière des Tirailleurs sénégalais» (*guimm pour deux kôra*);
– «Taga de Mbaye Dyob» (*pour un tama*);
– «Prière de paix» (*pour grandes orgues*).

Éthiopiques compte onze poèmes avec accompagnement musical :
– «L'homme et la bête» (*pour trois tabalas ou tam-tams de guerre*);
– «Congo» (*guimm pour trois kôras et un balafong*);
– «Le Kaya-Magnan» (*guimm pour kôra*);
– «Messages» (*guimm pour kôra*);
– «Teddungal» (*guimm pour kôra*);
– «L'absente» (*guimm pour trois kôras et un balafong*);
– «À New York» (*pour un orchestre de Jazz : solo de trompette*);
– «Chaka», chant I (*sur un fond sonore de tam-tam funèbre*) et chant II (*tam-tam d'amour, vif*);
– «Épître à la princesse» (*pour kôra*);
– «La mort de la Princesse» (*pour un tam-tam funèbre*);

– « D'autres chants... » (*pour khalam*), (*pour flûtes et balafong*), (*pour orgue, et tam-tam au loin*), (*pour flûtes d'orgues*).

Nocturnes comporte quatre grands poèmes ; des poèmes comprenant plusieurs sections. Chaque texte de *Nocturnes* a un accompagnement musical :
– « Chants pour Signare » : (*flûtes, khalam, balafong, rîti, tama, orchestre de jazz, tam-tam lointain, clarinettes, trompes et gorong, talmbatt, et mbalach*) ;
– « À James Benoît » (*pour deux flûtes et un tam-tam lointain*) ;
– « Élégies pour Aynina Fall » (*pour un gorong*) ;
– « Chant de l'initié » (*pour flûtes, trompes, gorong, balafong, talmbath et mbalakh*).

Élégies majeures : les sept grandes élégies ont toutes un accompagnement musical :
– « Élégie des Alizés » (*pour deux flûtes, une kôra et un balafong*) ;
– « Élégie pour Jean-Marie » (*pour orgue et deux kôras*) ;
– « Élégie pour Philippe-Maguilen Senghor » (*pour orchestre de jazz et chœur polyphonique*) ;
– « Élégie pour Martin Luther King » (*pour orchestre de jazz*) ;
– « Élégie de Carthage » (*pour orchestre maghrébin avec komenjahs, rebabs, naï, oud, quanoun, sans oublier tar ni dabourka*) ;
– « Élégie pour Georges Pompidou » (*pour orchestre symphonique, dont un orgue et des instruments négro-africain, indien et chinois*) ;
– « Élégie pour la Reine de Saba » (*pour deux kôras et un balafong*).

Il ressort de cette recension des poèmes de Senghor à accompagnement musical que les instruments de musique constamment utilisés par le poète sont par ordre d'importance :
– La kôra
– Le balafong
– Le tam-tam (avec ses différentes formes : tama, tambour, gorong)
– L'orchestre de jazz
– Le khalam
– La flûte / les flûtes d'orgue
– Les grandes orgues
– Les trompettes / la trompe
– La clarinette, le rîti.

Certains instruments de musique apparaissent une seule fois comme les instruments de l'univers arabo-berbère : komenjahs, rebabs, naï, oud, tar, dabourka. Dans « L'Élégie pour Georges Pompidou », c'est la rencontre de quatre continents : orchestre symphonique, dont un orgue, des instruments négro-africains, indiens et chinois (Amérique, Afrique, Asie, Europe).

Les instruments de musique de la Chine et de l'Inde sont convoqués dans « Élégie pour Georges Pompidou ».

Il se dégage de cette analyse, que priorité est donnée par Senghor aux instruments de son terroir, aux instruments africains et nègres. Les instruments occidentaux apparaissent surtout dans les *Élégies*. Mais la combinaison dans certains textes des instruments musicaux d'univers différents est une preuve du métissage artistique cher au poète.

Essai de sémiologie des instruments de musique utilisés par Senghor dans ses poèmes

LA KÔRA

La kôra est présente et revient dans presque la quasi-totalité des poèmes du recueil et même dans certaines élégies. C'est l'instrument de musique par excellence de Senghor.

La kôra est l'instrument de *Karaï*, dieu suprême, maître du ciel et de la terre, frère des hommes, maître des virtualités. C'est un instrument à cordes pincées comportant deux groupes de huit à seize ou vingt et une cordes superposées fixées sur un long manche cylindrique et une caisse sonore hémisphérique, faite d'une calebasse tendue d'une peau de chèvre.

La kôra est faite généralement pour les exaltations, les glorifications, la légende. Pour en saisir toute la grandeur il faut l'écouter en solo, comme le prescrit la tradition sénégalaise.

Comme la harpe, la kôra se joue en échelle diatonique à toutes les hauteurs et s'étend à au moins cinq octaves.

Senghor la recommande comme exutoire harmonique de Kaya-Magan… C'est la kôra que Senghor utilise pour évoquer dans *Chants d'ombre* ceux qui sont morts, partis pour l'ultime retraite ; c'est elle aussi qui célèbre l'intrépidité des princes d'Élissa et de la Princesse de Sira-Badral, «fondatrice des royaumes» dans «Que m'accompagnent kôras et balafong».

> Elé-yaya ! De nouveau je chante un noble sujet ; que m'accompagne koras et balafong !
> Princesse, pour toi ce chant d'or, plus haut que les abois des pédants ! [...]
> Tu es l'organe riche de réserves, les greniers qui craquent pour les jours d'épreuve
>
> («Que m'accompagnent kôras et balafong»,
> *Chants d'ombre, O. P.*, pp. 33-34)

LE KHALAM

Le khalam (Xalam chez les wolof) : c'est un instrument de musique traditionnel à trois ou quatre cordes. Senghor le définit comme «une sorte de guitare tétracorde». Quatre chants d'*Éthiopiques* sont accompagnés de khalam.

Le khalam au Sénégal, avant que les Segovia en fassent un instrument de toutes les circonstances, soutenait les rengaines et servait aux griots à certains moments.

Quand Senghor le recommande pour un poème comme « Je ne sais en quel temps », on doit comprendre que pour le poète c'est une rhapsodie qui aurait pu être chantée au clair de lune ou déclamée sur les places de rassemblement populaire. Par la suite, le khalam a servi aussi pour les *Élégies* :

Ne t'étonne pas mon amie si ma mélodie se fait sombre
Si je délaisse le roseau suave pour le khalam et le tama
Et l'odeur verte des rizières pour le galop grondant des tabalas.

(« Chants pour Signare », Nocturnes, O. P., p. 174)

LE BALAFONG

Le balafong (balafond en mandigue) est un instrument de musique à percussion analogue au xylophone, constitué de lames de bois sous lesquelles sont fixées des calebasses servant de résonateurs. Quand ce sont des lames de bambous, le balafong devient la *Deza* faite pour les poèmes épiques, pour les gestes liées aux grands noms d'un lignage princier. La *Senza Deza* est alors symbole de virilité et de fécondité incarnées par le roi et le patriarche, lien entre les dieux et les hommes.

Pour les peuples de la forêt, le balafong est l'instrument de musique le plus complet, celui qui accompagne l'homme dans toutes les manifestations de joie, d'évocation, de déploiement de l'instinct de combat. Pour certains musicologues, c'est le piano des nègres. Dans « Que m'accompagnent kôras et balafong », on l'entend en arrière-plan de l'évocation des souvenirs d'enfance :

Au détour du chemin la rivière, bleue par les prés frais de Septembre.
Un paradis que garde des fièvres un enfant aux yeux clairs comme deux épées

Paradis de mon enfance africaine, qui gardait l'innocence de l'Europe. [...]
La flûte du pâtre modulait la lenteur des troupeaux
Et quand sur son ombre, elle se taisait, résonnait le tam-tam des tanns obsédés

(« Que m'accompagnent kôras et balafong »,
Chants d'ombre, O. P., pp. 28-29)

On retrouve aussi le balafong dans la description toute érotique de la femme-congo :

Oho ! Congo couchée dans ton lit de forêts, reine sur l'Afrique domptée
Que les phallus des monts portent haut ton pavillon [...]
Femme grande ! eau tant ouverte à la rame et à l'étrave des pirogues
Ma Saô mon amante aux cuisses furieuses, aux longs bras de nénuphars calme

(« Congo », Éthiopiques, O. P., p. 101)

LE TAM-TAM

Le tam-tam est un instrument à percussion consistant en une ou deux peaux tendues sur une caisse de résonance le plus souvent en bois. Il existe plusieurs variétés de tam-tam. Dans les poèmes de Senghor, il y a :
– Le gorong : tam-tam court au timbre grave.

33

– Le sabar : long tam-tam au son clair.
– Le tama : petit tam-tam d'aisselle dont s'accompagnent les griots pour l'éloge ou l'ode.
– Le tabala : tam-tam de guerre.

Chaque type de tam-tam a donc une fonction spécifique si l'on s'en tient à ces différentes définitions.

Dans les sociétés traditionnelles, le tam-tam est généralement affecté à la communication. C'est le tam-tam qui ouvre et rythme le « protocole » et ordonnance la liturgie, comme dans les cérémonies vaudou. Avec son ton unique, d'une gravité, mais aussi d'une nervosité extrême, il est, dans la vision traditionnelle, la voix des dieux et des rois. Il marque la solennité des proclamations, il fait son apparition pour annoncer les événements graves, mais il module aussi l'hymne au courage, à la beauté.

Le tam-tam est l'instrument de musique par excellence qui crée cette atmosphère propice à l'incantation, qui « fait accéder à la vérité des choses essentielles ». Dans « Comme les lamantins vont boire à la source » Senghor affirme : « les poètes gymniques de mon village, les plus *naïfs*, ne pouvaient composer, ne composaient que dans la transe des tam-tams, soutenus, inspirés, nourris par le rythme des tam-tams » (O. P., p. 161). Le tam-tam fait donc partie de ce que Senghor appelle dans « Dialogue sur la poésie francophone » « les instruments [des] techniques d'essentialisation » (O. P., p. 373).

Si on se penche sur les poèmes du recueil, on constate que le tam-tam apparaît dans les circonstances suivantes :

– Pour faire l'éloge d'un digne fils du pays, d'un soldat sénégalais tombé sur le champ de bataille, ou tout simplement rendre hommage à un être aimé et disparu.

> Mbaye Dyôb, je veux dire ton nom et honneur.
>
> (« Taga de Mbaye Dyôb », *Hosties noires*, O. P., p. 79)

> Toi Ange de l'Enfant prodigue, Ange des solutions à la clarté de l'aube
> [...]
> Tu es la porte de beauté, la porte radieuse de grâce
>
> (« Chants pour Signare », *Nocturnes*, O. P., p. 182)

Le tama dans ces circonstances, accompagne, d'un rythme mesuré, l'éloge.

– Pour servir de viatique au guerrier. C'est le tam-tam de guerre, le tabala avec son rythme syncopé, instinctif qui intervient ici. Mais il se produit aussi sur fond d'atmosphère funèbre, pour accompagner une vie qui va finir :

> Chaka, te voilà comme la panthère ou l'hyène à-la-mauvaise-gueule !
> Á la tête clouée par trois sagaies, promis au néant vagissant.
> Te voilà donc à ta passion. Ce fleuve de sang qui te baigne, qu'il te soit pénitence.
>
> (« Chaka Chant I », *Éthiopiques*, O. P., p. 118)

On imagine donc le ton lugubre, le rythme de la marche funèbre que produit le gorong.

– Pour rythmer la prière, l'incantation, les supplications :

> *Lætere Jérusalem et...* Je dis bien *lætere* mon cœur
> Vide et vaste comme une pièce froide – mais larmes Seigneur dans tes mains si calmes.
> [...]
> Seigneur *lætere* dans mon cœur, comme un dimanche d'Europe au réveil.
>
> (« D'autres Chants », Éthiopiques, O. P., pp. 152-153)

– Pour célébrer l'amour ou un idéal, le sabar produit alors des rythmes au son clair :

> O ma fiancée, j'ai longtemps attendu cette heure
> Longtemps peiné pour cette nuit d'amour sans fin, souffert beaucoup beaucoup
> Comme l'ouvrier à midi salue la terre froide.
>
> (« Chaka », Chants II, Éthiopiques, O. P., p. 127)

– Pour chanter la transmutation, le départ vers l'au-delà de la vie, chanter aussi un avenir plus radieux qui se profile à l'horizon, l'atmosphère est chargée d'émotion, grave, mais aussi le ciel s'éclaircit, le gorong, pièce principale, peut être accompagné de sabar :

> Voilà qu'émerge de la Nuit, pur, l'autel vertical et son front de granit
> [...]
> Et que je meure soudain pour renaître dans la révélation de la Beauté !
> Silence silence sur l'ombre... Sourd tam-tam... tam-tam lent... lourd tam-tam... tam-tam noir...
>
> (« Chant de l'initié », Nocturnes, O. P., p. 195)

Si avec les autres instruments d'accompagnement musical des poèmes de Senghor, on peut psalmodier ou chanter les poèmes, le tam-tam est fait pour la récitation des poèmes.

LES FLÛTES

C'est surtout dans *Nocturnes* que le poète utilise le plus les flûtes. Les poèmes de ce recueil dont la plupart ont pour cadre le « cœur pastoral de Sine » et dont les scènes se passent entre crépuscule et aube évoquent les fantasmes des uns, les élans amoureux des autres. La flûte susurre alors les mots doux, imite les déclarations d'amour :

> Je t'ai filé une chanson douce comme un murmure de colombe à midi
> Et m'accompagnait grêle mon khalam tétracorde. [...]
> Je t'ai offert mes fleurs sauvages. Les laisseras-tu se faner
> Ô toi qui te distrais au jeu des éphémères ?
>
> (« Chants pour Signare », Nocturnes, O. P., p. 175)

La flûte est plus indiquée pour imiter les chants des oiseaux et produire des sons qui nouent les correspondances entres les « choses, entre les forces, entre les étants » :

> Flûte d'ébène lumineuse et lisse, transperce les brouillards de ma mémoire.
> Ô flûte ! les brouillards, pagnes sur son sommeil sur son visage originel. [...]

35

Les colibris striquaient, fleurs aériennes, la grâce indicible de son discours
Les martins-pêcheurs plongeaient dans ses yeux en fulgurances bleu natif de joie

(« Chants de l'initié », *Nocturnes*, *O. P.*, p. 192)

Mais elle prend une tonalité plus mélancolique quand elle évoque le soir de la vie, la fin inexorable, la mort :

L'Hivernage m'occupe. Il a pris possession de ma poitrine, sentinelles debout aux portes de l'aorte [...]
Alizés de l'enfance mon enfance, ah ! qu'arrive octobre à sa fin, quand bombent les tombes des cimetières.

(« Élégie des Alizés », *Élégies majeures*, *O. P.*, p. 262)

L'ORGUE

Il apparaît dans *Hosties noires* et dans *Élégies majeures*, c'est-à-dire dans deux recueils qui évoquent soit le traumatisme de la guerre, soit des êtres chers qui ont disparu, ou le poète sur le versant de l'âge.

Si on en croit la légende, l'orgue était un instrument utilisé dans le secret des temples pendant les rites de passage du fleuve par ceux qui se présentaient à la balance du jugement d'Osis, d'Horus, d'Isis et des autres pairs divins. C'est l'eau qui produisait la symphonie du Styx. L'orgue produisait les sonorités graves, voire phénoménales des abysses du son. Il suggérait les sonorités de la voûte céleste.

Dans l'orgue, on part de l'heptatonique au pintatonique en passant par la diatonique, le chromatique...

Plus que tout autre instrument de musique, l'orgue exprime le « un de tout » dans ses fondements architecturaux. C'est la voix qui vient du centre et se déploie comme un lotus à travers le ciel de l'univers.

L'homme, à l'image de Dieu est un orgue. Senghor le savait, le ressentait au plus profond de son âme, lui qui dans sa « Prière de paix » porte, transporte l'holocauste de l'humanité jusqu'à la résurrection, et la sublimation du pardon.

L'orgue est un te deum, un hosanna. Dans les poèmes qu'accompagne un orgue, on voit le poète prophète débarrassé de toutes les chaînes de la servitude, prêt à assumer son destin d'homme-dieu parmi les hommes. *Élégies majeures*, malgré la souffrance du poète, témoigne de la foi de Senghor en la grandeur de l'être humain et en l'immortalité que procure le bien fait à autrui. Seul l'orgue peut rendre le pathétique du ton avec une grande solennité :

Que t'offrir, Jean-Marie, ô ! dans ton cercueil d'ouzougou
Couché ? Dis, que lui offrir s'il n'est blanc comme son corps d'opale
Bleu comme le paradis de ses yeux ? Ne lui offrez lys ni lilas [...]

Taisez-vous taisez-vous, que monte l'encens et la joie basse de l'orgue
La jubilation de l'Alléluia !
Que descendent les Anges peuls, de son trône d'ivoire la Vierge et ses mains de paix noire

(« Élégie pour Jean-Marie », *Élégies majeures*, *O. P.*, p. 278)

L'orgue est l'instrument des grandes cérémonies, des manifestations solennelles.

TROMPES, TROMPETTES, JAZZ

1. La trompette

La trompette viendrait du Cheneb égyptien. Elle était utilisée pour lever et accompagner les troupes. C'est le cor du dieu de la fureur guerrière, Seth. C'est Ramsès II le Grand qui l'aurait introduite dans la liturgie sacrée.

La trompette dans le jazz a un effet d'annonce dont les échos plongent l'âme dans une nostalgie inexplicable. En même temps que l'on a la sensation de replonger dans un passé mythique, on croit se trouver au début d'une perspective qui va s'élargissant.

2. La trompe

Au Népal, dans la capitale du bouddhisme tibétain, à Bobnath, ce sont des trompes géantes pesant des dizaines de kilos et longues parfois de cinq à sept mètres qui annoncent le début d'un culte. Au Japon, elles s'associent au Gong pour créer un effet saisissant reproduisant la terrible voix du dragon.

Chez Senghor, la voix tonitruante de la trompe est un secours quand le danger guette :

> Ô trompe à mon secours ! Je me suis égaré par la forêt de ses cheveux
> Trompe sous ta patine noire, ivoire patiemment mûri dans la boue noire. [...]

> Comment dénouer les ruses des lianes, apaiser le sifflement des serpents ?
> Et de nouveau l'appel blessé, mais seule une sirène sinistre répond [...]

> Mais le répons de son chant clair en la clairière est le réconfort qui me guide
>
> (« Chant de l'initié », *Nocturnes*, *O. P.*, pp. 193-194)

3. Le jazz

Le jazz américain est symbole chez Senghor de l'ennui : musique de la souffrance, expression du déracinement et de la nostalgie, « il suffit d'une trompette à WA WA WA pour que les exilés d'Europe se mettent à pleurer ».

C'est aussi dans les longs sanglots des partitions de jazz que Senghor pleure des voix chères qui se sont tues : son fils Philippe-Maguilen Senghor, l'ami de toujours, Georges Pompidou, ou le leader noir américain assassiné Martin Luther King.

Mais l'orchestre de jazz est souvent accompagné d'un chœur polyphonique : le sanglot n'est alors ni uniforme, ni continu.

La lamentation funèbre est, dans le mode africain, une convergence de tons où l'évocation du destin tragique des personnages s'émaille de souvenirs personnels, ludiques et même érotiques.

> C'était hier à Saint-Louis parmi la Fête, parmi les Linguères et les Signares
> Les jeunes femmes dromadaires, la robe ouverte sur leurs jambes longues
> Parmi les coiffures altières, parmi l'éclat de dents de panache des rires des boissons. Soudain
> Je me suis souvenu, j'ai senti lourd sur mes épaules, mon cœur, tout le plomb du passé [...]

Je vois les rires avorter, et les dents se voiler des nuages bleu-noir des lèvres
Je revois Martin Luther King couché, une rose rouge à la gorge.
Et je sens dans la moelle de mes os déposées les voix et les larmes, hâ ! déposé
le sang [...]

(« Élégie pour Martin Luther King », *Élégies majeures, O. P.,* p. 297)

Conclusion

Senghor est très probablement un des rares poètes africains de sa géné-ration à réaliser concrètement l'alliance entre la poésie et la musique. Certains lecteurs y ont vu une stratégie pour suppléer à l'insuffisance de sa théorie sur le polyrythme. Daniel Delas[2] a montré ce que l'utilisation des instruments de musique apportait en réalité aux poèmes de Senghor. Mais le poète lui-même n'écrit-il pas quelque part : « Les instruments de musique accompagnent le chant et la danse, ils les soutiennent, ils ne les inspirent pas. » ? Ce qui est valable pour la danse et le chant l'est aussi pour le texte poétique.

Il convient donc d'éviter une mise en musique de la parole poétique en français au point de faire oublier le texte pour privilégier la musique comme dans la rencontre de Verlaine et Debussy ou de Mallarmé et Ravel.

L'accompagnement musical doit se présenter comme un fond sonore adapté au registre du texte bien évidemment, et qui renvoie à un univers culturel bien précis.

Références bibliographiques

I – Corpus :
Chants d'ombre (1945)
Hosties noires (1948)
Éthiopiques (1956)
Nocturnes (1961)
Élégies majeures (1979)

II – Quelques études théoriques
SENGHOR Léopold Sédar, « Ce que l'homme noir apporte » in *Liberté, Négritude et humanisme*, Éditions du Seuil, Paris, 1984.
SENGHOR Léopold Sédar, « Comme les lamantins vont boire à la source », Postface d'*Éthiopiques*.
SENGHOR Léopold Sédar, « Dialogue sur la poésie francophone » in *Élégies majeures*, 1979.
TILLOT Renée, *Le rythme dans la poésie de Léopold Sédar Senghor*, NEA, Dakar, 1979.
DELAS Daniel, *Léopold Sédar Senghor : lecture blanche d'un texte noir*, Temps actuels / Messi-dor, Paris, 1982.

---

2. Daniel Delas, dans un numéro spécial de l'*École des Lettres* (89e année, 1er avril 1998, n° 12) sur *Éthio-piques* de L. S. Senghor, a, dans un article intitulé « Rythme, culture et poésie dans *Éthiopiques* » (pp. 109-118), bien analysé le rapport « ambigu » qui existe entre les poèmes de Senghor et les instru-ments de musique qui les accompagnent.

« Sentir » la poésie
Élégie de Carthage :
« les lumières rythmes
de la parole »

Afifa MARZOUKI
Université de Manouba, Tunisie
Docteur de troisième cycle de l'université de Tunis et docteur d'État de l'université de Montpellier. Professeur de littérature française et francophone à la faculté des Lettres, des Arts et des Humanités de l'université de Manouba en Tunisie et spécialiste de poésie, de poétique et de littérature féminine, elle est également auteur de trois ouvrages sur la littérature française du XIXᵉ siècle, de manuels scolaires, d'éditions critiques...

De sa triple vie d'homme politique, de professeur et de poète, Senghor a toujours avoué préférer celle de poète : « Mes poèmes. C'est, là, l'essentiel » (« Dialogue sur la poésie francophone », « Lettre à trois poètes de l'Hexagone », *O. P.*, p. 378), écrit-il. S'intéresser à sa poésie, c'est, sans doute, se pencher sur ce qu'il considérait comme le meilleur de lui-même. Et interroger le rythme dans cette poésie, c'est mettre le doigt sur son point vélique, sur ce que Senghor a toujours considéré comme la « substantifique moelle » de ses versets. Pour celui qui se définit comme le « fils du rythme » (*O. P.*, p. 382), le poète est en effet d'abord « *aoïdos* » (*O. P.*, p. 379), griot, chanteur, et « "le bien dire" : l'accord harmonieux du rythme et de la mélodie » (*O. P.*, p. 407) : « Je persiste à penser, précise-t-il, que le poème n'est accompli que s'il se fait chant, parole et musique en même temps. » (Postface d'*Éthiopiques*, *O. P.*, p. 168). « Je le confesse, écrit-il ailleurs, je suis un auditif, ce qui me frappe, ce qui m'enchante d'abord, dans un poème, ce sont ses qualités sensuelles : le rythme du vers ou du verset, et sa musique[1]. ». Ne nous étonnons donc pas de le voir déplorer que la poésie francophone, pilier de la « Révolution nègre », ait été souvent « mal sentie » (*O. P.*, pp. 357-358) par les Occidentaux : « Ma joie de créer des images [...], ô lumières rythmées de la Parole ! » (*O. P.*, p. 265), lit-on dans « Élégie des Alizés ». On le sait, depuis, « l'*expression* [...] la plus parfaite possible », pour le poète, est celle qui plaît, « à la fois, "au cœur et à l'oreille" »

---

1. *Liberté I, Négritude et humanisme*, Paris, Éditions du Seuil, 1964, p. 335.

(*O. P.*, p. 397) « parce que le dire accordé au cœur est consonant à l'oreille »
(*O. P.*, p. 389).

Voilà pourquoi notre tâche, ici, est d'étudier le rythme, mais le rythme dans sa relation interne avec l'image et l'émotion qui le génèrent et qu'il génère à son tour, et cela à partir de l'une des *Élégies majeures* de Senghor : « *Élégie de Carthage* » datée de juillet 1975 et écrite en hommage à une figure emblématique de l'indépendance de la Tunisie, au « Combattant ultime », comme le désigne la clausule et cadence majeure finale de l'élégie : Habib Bourguiba.

D'ores et déjà, le titre du poème, « Élégie » nous renvoie au registre lyrique du texte, à la célébration narrative et à l'expression, dans la même foulée, des émotions éveillées par cette célébration. Il s'agit, dans ce cas-ci, d'un lyrisme individuel, monodique, issu des chants populaires nègres. Cette bannière affichée du lyrisme nous interpelle et se trouve au cœur de notre propos car, comme dans l'Antiquité, le lyrisme est ici clairement associé à la musique et la poésie est présentée comme le substrat écrit d'une mélodie accompagnée par des instruments : « Élégie de Carthage », « pour orchestre maghrébin, avec *kamenjahs, rebabs, naï, oud, quanoun*, sans oublier *tar* ni *darbouka* ». Rappelons, à ce propos, qu'en 1954 déjà, le poète prévenait le lecteur que « lorsqu'en tête d'un poème, [il] donne une indication instrumentale, ce n'est pas simple formule » (Postface d'*Éthiopiques, O. P.*, p. 167) :

> Il n'y aurait pas de chant si *tar* et *darbouka* n'accomplissaient l'orchestre, prêtant leur Rythme syncopé aux *kamenjahs* et aux *rebabs*, au *naï* suave *oud* lyrique, au *quanoun*.
>
> (« Élégie de Carthage », V, v. 14)

nous précise encore le final du poème. Et si cette élégie tient place parmi l'ensemble des *Élégies majeures*, c'est sans doute pour l'importance symbolique que revêt son thème, son motif, l'intitulé servant, en quelque sorte, à donner le la de la lecture : il s'agit bien d'une pièce en mode majeur. La suite de notre étude le montrera.

Composée de cinq séquences, de onze à vingt-deux versets, « Élégie de Carthage » mêle habilement le récit syncopé, aux accents épiques du griot faisant le bilan de l'histoire millénaire de son continent, et le discours lyrique d'un locuteur qui, revenant sur son grand passé, célèbre, ému, les fastes du mythe et la prégnance de la réalité dans la construction de cette histoire. Ce condensé musical et poétique de l'histoire de la Tunisie est présenté dans une structure circulaire riche d'effets et de significations pour le poète-narrateur qui y promène un regard englobant sur les étapes emblématiques de la genèse de l'Ifriqia. En effet, si la première séquence fonctionne comme une entrée en matière, un exorde avec arrêt sur image, celle du présent, celle du palais maure de Carthage, la dernière, effectue un retour sur cette image initiale et sur l'émotion qui la rythme et qui clôture le poème. Les trois séquences centrales passent en revue les principales strates de l'histoire de la Tunisie, synthétisée tour à tour par les trois figures de Didon, Hannibal et Jugurtha.

Aux trois figures majeures du passé, s'ajoute donc, pour s'y substituer mais aussi comme pour les encadrer et s'en dégager, la figure du présent, celle du président Bourguiba, doublement inscrite dans le texte par sa présence dans les laisses d'ouverture et de clôture. Comme dans un chant, ce retour du même, ce redoublement du motif, qui plus est à la fin de la pièce, fonctionne comme un refrain venu boucler la boucle et donner sa cadence et sa signification au poème. Le chiffre impair *cinq* qui structure ainsi le poème, outre sa probable signification symbolique qui lui donne des vertus exorcisantes dans la culture africaine, appuyé par la présence fréquente d'unités de cinq syllabes dans des vers surcomposés, pourrait nous renvoyer à la mesure «majestative» du poème, à l'emphase et à toute l'atmosphère de grandeur qui y est volontairement cultivée.

Le poème s'ouvre sur une image précise et au départ indéterminée : celle de l'«Amie». Cette image est tout de suite relayée par une profusion de sensations qui engage le poème sur la piste d'une poétique synesthésique qui n'aura de cesse de tisser sa toile jusqu'à l'achèvement du texte et de la vision :

> C'est encore toi mon Amie, qui me viens visiter m'habiter m'animer   (I, v. 1)

Outre la vision inscrite, ici, dans un processus de récurrence, ou de rémanence (d'où la présence de l'adverbe «encore»), elle coule sa relation au poète-locuteur dans un rythme ontologique, vital, exprimé par le mouvement ternaire appuyé par le *crescendo* de la gradation. Image et mouvement sont nettement impliqués dans une même dynamique : ils concrétisent le processus du déclenchement et de la prégnance de l'émotion; autrement dit le rythme du corps («C'est bien toi ce soulèvement soudain dans ma poitrine») et l'image qu'il perçoit («ces palmes harmonieuses») viennent rapidement au secours de l'embrayage rhétorique et de l'ellipse des déterminants de l'«Amie» et donnent à l'écriture poétique, dès l'*incipit*, sa résonance sensuelle et physique. Ils placent, de même, l'Afrique, Carthage et le poète-locuteur au cœur d'une triade qui, par ses modulations, structurera l'ensemble du texte.

Il est clair que l'image animée de l'Afrique, «palmes harmonieuses» et «front d'ébène bleue» du père déclenchant, ici, le chant, est spontanément associée à celle de l'inspiration poétique, à la Muse romantique, «visiteuse» assidue du poète et qui est à l'origine du «soulèvement soudain dans [sa] poitrine» et de «l'agitation» qui s'empare de lui. Quoi de plus concret pour illustrer, dans le corps même du poème, le processus qui fait naître ce poème dans une mobilisation générale des sens?

Les propos de Senghor définissant ailleurs l'inspiration moderne de la poésie francophone comme «un soulèvement de tout l'être [...] traversé par un flot de sensations qui exigent de lui de les exprimer» (*O. P.*, p. 386) ne sauraient être mieux appuyés que par cette dimension métalinguistique *in situ* de son propre poème. Dans ce chant célébrant l'Afrique, on voit bien, comme le dit Alain Bosquet, comment le poète noir donne «au langage un rythme de chair et de sang, de vertèbre et de peau lisse, de sorte que se refait la greffe de la parole sur l'anatomie» (*O. P.*, p. 361). Soulèvement «de la poitrine», «coup de foudre dans l'aorte», montée « à la nuque [du] long corps d'ambre à l'odeur de jasmin » soulignent ce bou-leversement de tous les sens impliqué par l'art poétique et qui est à la base du lyrisme. « La puissance de la mélodie et du rythme comme forces créatrices » (*O. P.*, p. 394) occupe une place importante aussi bien dans la gestion de l'émotion que dans la construction du chant et de son développement. Elles associent, ici, dans le même élan, le mouvement du corps de l'individu, sa poitrine, son aorte, sa nuque, et celui du corps de l'Afrique, le flamboiement de ses « palmiers jumeaux », « la menace de [son] orage » (p. 307), « la charge de [sa] foudre », « les éclairs » (p. 309) et « tous les battements [de son] cœur » (p. 308). Le combat du héros africain est de la sorte toujours rendu, par l'image et le son, consubstantiel à son continent : L'aigle de l'Atlas, le lynx, le léopard, les éléphants blancs, la « meute aboyant de lycaons » (p. 309) mais aussi la « prudence de couleuvre », « la fureur de serpent cra-cheur », et « le venin de mamba noir » (p. 309) semblent là pour montrer combien le cœur de l'homme et celui de l'Afrique battent au même diapason, sont nourris de la même sève et animés du même rythme.

D'un point de vue strictement technique, si les unités métriques qui com-posent les versets du poème de Senghor renvoient formellement aux unités métriques du vers français « classique », dans sa forme simple ou complexe (vers de deux hémistiches), comme c'est le cas dans le premier verset du poème qui nous propose un octosyllabe suivi d'un dodécasyllabe régulier, un alexandrin de texture classique appelé tétramètre :

> qui me vient / visiter // m'habiter / m'animer,   (I, v. 1)
>   3   3   3   3

si, bien d'autres dodécasyllabes et octosyllabes réguliers ponctuent le poème (I ver-set 9 ; II, v. 9 ; III, v. 10 ; III, v. 18, mais aussi I, v. 1 ; I, v. 11 ; II, v. 15 ; III, v. 9) ; si les hexa-syllabes, équivalents de l'hémistiche de l'alexandrin, sont aussi nombreux (I, ver-set 2 ; III, v. 1 ; IV, v. 3 ; V, v. 18), on ne peut affirmer que le poète travaille sur un canevas fixe et conventionnel. S'il se réfère à un moule métrique, c'est qu'il s'en sert, en fait, comme point de départ dans un jeu permanent d'imitation et de transgression qui donne tout son relief et toute son originalité à l'organisation rythmique de son texte et à sa poéticité. Libéré du code métrique, comme tout poème en prose, le poème de Senghor procède à des regroupements métriques inhabituels qui sont sentis comme des déformations ou des cassures par rapport aux unités métriques qui sont familières à nos oreilles, et cela est d'autant plus per-ceptible que la mesure et la démesure sont souvent contiguës dans son poème. Si on considère, par exemple, le début du poème, on remarque qu'après deux versets en 8 / 6 / 6, arrive un verset en 8 / 5 / 5, ce qui signifie que la même structure métrique est reprise mais déformée. Le tétramètre initial et redoublé semble en phase avec l'équilibre de l'émotion encore naissante et la première douceur des « palmes harmonieuses » de l'ouverture du poème. S'il cède le pas à un décasyllabe à césure enjambante qu'une allitération et des rapprochements sonores violents éloignent davantage des sonorités harmonieuses des deux premiers versets :

> Qui du fondement de mon être // jusqu'au front d'ébè//ne bleue de mon père
>   (I, v. 3)

c'est que le poète a voulu signifier, par le jeu du décalage métrique aussi, l'irruption d'une certaine « agitation » liée à l'évocation de ses racines. La césure épique, à la fin de l'octosyllabe par apocope du e, et la césure enjambante médiane dans le décasyllabe ne sont pas étrangères à cette fière émotivité qu'exhalent le rythme et les mots.

D'autres jeux rythmiques sur le décalage métrique retiennent l'attention, comme c'est le cas du verset 6 de la deuxième laisse :

Devant les belles-de-nuit // qui m'encerclaient m'obsédaient   (II, v. 6)

Dans le premier hémistiche de ce vers à deux mesures, le e de « belles » est apocopé (ce qui correspond à la prononciation usuelle de ce nom composé). Mais aucune apocope possible ne pouvant réduire les sept syllabes du second hémistiche, nous obtenons un « alexandrin » trop long, démesuré, qui n'arrive pas à entrer dans le moule dodécasyllabique. Ce vers, qui semble s'étirer jusqu'à se perdre comme pour faire sentir la persistance du parfum, se ressaisit et se normalise au verset suivant qui lui oppose la résistance à tous les transports, à toutes les sollicitations des sens :

Je fermais et je ferme toutes mes fenêtres.   (II, v. 7)

Nous voyons donc cette parfaite adéquation du rythme et du sens dans cet exemple où la mesure, à l'image de « l'écume » et des « paroles baveuses » dont il est question dans cette laisse, s'amplifie et déborde sous l'impulsion d'une mémoire « obsédante » pour se rétablir et s'équilibrer dans la suite du texte, illustrant le choix du poète de jouer sur la norme française et ses écarts, et d'en tirer les effets les plus aptes à traduire des rythmes africains, d'opérer une relecture rythmique du vers classique français, lui permettant de construire des liens prosodiques et rythmiques entre l'Afrique et la Méditerranée. Cette particularité du vers, cette impression de « lecture étrangère » créée par l'impair est renforcée par la juxtaposition des deux verbes sans coordination et sans ponctuation, « m'encerclaient m'obsédaient » (comme c'est souvent le cas dans la poésie de Senghor), qui, en se télescopant en quelque sorte, brouillent les choses comme sous l'effet d'un vertige et se traduisent, au niveau rythmique, par un certain harcèlement propre à régler le texte sur « la loi du tam-tam », comme dans ces versets où, aidé par l'allitération onomatopéique, le rythme se hache et s'emballe comme sous l'impulsion d'une *darbouka* ou d'un *tar* :

De nouveau / tu me soulèves, / souvenir, / au battement / du tam-tam (II, v. 4)
     3   4   3   4   3

Qu'importe ? / Je dis / je suis / rythmé / par la loi / du tam-tam.   (II, v. 9)
     2   2   2   2   3   3

Le rythme binaire n'est-il pas la résonance primitive et onomatopéique du tam-tam, instrument binaire par essence ? Les deux syllabes *je dis* marquent le *tempo* de cet étonnant alexandrin qui fait suivre le binaire par le ternaire. Un ternaire conçu comme l'extension naturelle du binaire : 1 + 2, et c'est la présence du mot *tam-tam* dans un groupe de trois syllabes qui permet de comprendre le phénomène. Le dissyllabe peut tout aussi naturellement s'agencer avec son double, le groupe de quatre syllabes, comme dans le verset 18 de la troisième séquence :

> lorsque / saisi / par la fureur / rythmée / de ton Afrique   (III, v. 18)
>   2   2   4   2   4

Avec un e masculin accentué («lor**sque**»), deuxième élément d'un dissyllabe clairement séparé du groupe qui suit, la frontière syntaxique qui correspond à la coupe rythmique forme une syncope, c'est-à-dire un arrêt bref qui permet de ménager la structure rythmique de l'ensemble. Ce «rythme syncopé» revient à la fin du poème où Senghor l'attribue aux instruments de percussion de la musique arabe, *tar* et *darbouka*. Le poète illustre d'ailleurs son propos dans le corps même de son discours poétique par le biais de l'enjambement où un rejet violent crée un effet de suspension, comparable sur le mode métrique à la syncope rythmique :

> Il n'y aurait pas de chant si *tar* et *darbouka* n'accomplissaient
> l'orchestre, prêtant leur
> Rythme syncopé aux *kamenjahs* et aux *rebabs*, au *naï* suave
> *oud* lyrique, au *quanoun*.   (V, v. 14)

Il est clair que le rythme syncopé est une des composantes rythmiques les plus remarquables du poème et ce n'est pas un pur hasard si pas moins de huit termes sont employés dans l'ensemble des recueils de Senghor pour désigner cet instrument emblématique de sa poésie : le tam-tam. Ce rythme est suggéré à la fois par une syntaxe hachée, nerveuse, et par des jeux sonores complexes qui imposent des arrêts, des silences parfaitement intégrés dans l'architectonie du poème.

Paradoxalement, le point de départ de ces pérégrinations poétiques où le rythme, libéré et sauvage, joue un si grand rôle, n'est rien d'autre que la scansion du vers classique français d'où le poète dégage deux unités rythmiques de base, les groupes de trois syllabes et les groupes de deux syllabes, qui vont à leur tour servir d'assise à d'autres organisations rythmiques. Tout semble donc découler du tétramètre classique, qui contient en lui-même le matériau nécessaire à une décomposition-recomposition du vers français, avec de nouvelles excroissances, de nouvelles coupes, un nouveau souffle, une nouvelle asymétrie. Le premier verset du poème, nous l'avons vu, contient un octosyllabe et un dodécasyllabe, ayant une structure rythmique basée sur les groupes de trois syllabes. Le découpage en trois syllabes est en quelque sorte forcé, imposé par l'organisation syntaxique de la phrase :

> C'est encore toi / mon Amie /, qui me viens / visiter / m'habiter / m'animer
>   5   3   3   3   3   3 (I, v. 1)

Isoler de la tessiture métrique classique le dissyllabe et le trissyllabe, n'est-ce pas une manière de rechercher le dénominateur commun à tous les hommes ? Le souffle, le pas, l'amble des chevaux ne sont-ils pas à l'origine du rythme binaire ? L'ïambe, réunion d'une syllabe brève et d'une syllabe longue, ne s'inspire-t-il pas du rythme cardiaque ? Au verset 6 de la deuxième laisse, le rythme binaire retentit comme le rythme des origines, rythme démiurge des bâtisseurs, telle Didon qui édifia Carthage et dont la danse fondatrice et sensuelle est rendue par la scansion hachée, dominée par les unités de deux syllabes :

L'odeur / de ton élan / rythmé, / Didon ;/ mais non !   (II, v. 6)
  2   4   2   2   2

Cette musicalité particulière du verset est aussi liée, chez Senghor, à tout un travail sur les sonorités et les homophonies. En effet, son poème est construit sur une architecture sonore très complexe qui participe de plusieurs univers acoustiques (africains, arabes, méditerranéens) qui viennent se greffer sur la mélodie phrastique du vers français. Dans ce cas particulier aussi, le point de départ de cette «déflagration» sonore est le dodécasyllabe initial du poème :

[...] qui me viens visiter m'habiter m'animer   (I, v. 1)

qui contient l'un des principes de base des jeux sonores du poème, à savoir le rapprochement des mots à initiales homophones. Dans le premier hémistiche de cet alexandrin, le pronom clitique *me* est mis devant le verbe conjugué et l'infinitif, par imitation de la langue classique (dont l'agrégé de grammaire est bien familier !) de manière à rapprocher les mots à initiales homophones : *me viens visiter*. En outre, l'élision du pronom clitique *m'* devant des verbes à initiales jonctives et l'absence de la conjonction de coordination attendue participent du même phénomène sonore, à savoir le rapprochement de mots dont la première consonne est homophonique, où se mêlent allitération, qui assure l'unité, et apophonie qui rend compte de la variété : *m'habiter m'animer*. Ici, le phénomène sonore est renforcé par l'homophonie des voyelles, qui forment ainsi assonance : *m'habiter m'animer*.

Nous voyons donc comment ces principes de l'unité et du changement, qui sont à la base du rythme, participent, dans cet exemple, par les sonorités aussi, à l'harmonie musicale du tétramètre. Présent dans les cinq subdivisions du poème, le phénomène de la contiguïté des mots à initiales homophones semble en ponctuer la trame sonore. Ce fait est suffisamment récurrent pour qu'on y voie une espèce de «marque sonore» du poème, comme léopards et lycaons «marquent» leur territoire :

Le **b**ateau **b**lanc où **chan**te le **cham**pagne (I, v. 6)
Marbre **m**aure (I, v. 8)
Une seconde **f**ois le **f**ondement et **f**loraison (II, v. 3)
Sa sombre **s**plendeur (II, v. 19)
Blancs **bl**indés (III, v. 5)
De **f**eu **f**ont **f**lamber leurs **f**ureurs **b**er**b**ères **b**ar**b**ares (III, v. 7)
Les **Massy**les et **Mass**aesyles (III, v. 10)
Boucliers, **bou**ches **b**ruissantes (III, v. 14)
La **pa**tience, et la **pa**ssion **pa**rfaite (III, v. 18)
Visages **v**ermeils (V, v. 14)
Seul **s**alut (V, v. 17)

Très répandue dans le poème, et en interaction avec des assonances, l'allitération, souvent expressive ou emblématique pour reprendre l'appellation de Verhaeren, est à l'origine d'effets sonores très significatifs comme dans cet exemple où elle semble restituer, par la stridence du cri et la grâce de l'image, le bruissement et la beauté du paysage méditerranéen :

Les hirondelles striquent de cris // leurs arabesques d'ombre.   (I, v. 10)

Tableau sonore et visuel d'une extrême richesse où l'on « entend » le cri estival des hirondelles grâce à l'allitération du premier hémistiche assurée pour l'essentiel par l'emploi métaphorique de ce verbe rare et technique : *striquer*, mais aussi où l'on « voit », grâce à l'opposition sonore des deux hémistiches, les oiseaux et leur ombre, le haut et le bas en un mouvement circulaire continu. Le terme *arabesque* suggère bien sûr les courbes et les « carrousels » du vol vespéral des hirondelles mais pourrait faire penser à l'image d'une perspective, à un angle de vision qui serait derrière la fenêtre, une fenêtre en arabesques bien entendu ! La dérivation, cela va de soi, oriente aussi la lecture dans le sens d'un hommage appuyé, quoique simplement allusif, à l'hôte arabe. La totalité de cette première séquence semble d'ailleurs structurée par l'alternance de deux rythmes contrastés et rhétoriques, liés au sémantisme du texte, l'un plutôt lent, ondoyant, fluide, « suave » comme le naï, la flûte arabe à laquelle se réfère le poète, et qui dit la sensualité du paysage surtout après le verset lyrique commençant par « Mais non ! » ; l'autre plus fébrile, plus agité, en rapport avec le « soulèvement soudain » qui ouvre la séquence et « le coup de foudre dans l'aorte » qui la ferme. Le rythme « est la condition première et le signe de l'art, comme la respiration de la vie, la respiration qui se précipite ou ralentit, devient régulière ou spasmodique, suivant la tension de l'être, et la qualité de l'émotion » (*Liberté I, Négritude et humanisme*, p. 35). Rien ne saurait mieux corroborer notre propos que cette réflexion de Senghor lui-même.

D'autres exemples de jeux sonores viennent, dans ce poème, enrichir l'homophonie des initiales, comme dans ce deuxième verset de la deuxième laisse : « En cette **Afrique ici, qu'aff**adis », où l'allitération en *k* et l'assonance en *i* forment un chiasme qui sert à « ancrer » dans le vers l'attaque homophone, [af-i-k-ii-k-af-i], visible dès le premier verset. Le plus curieux, c'est quand le poète tente, pour exprimer sa conception même de l'Histoire et de l'africanité, de donner l'initiative au rythme qui, mieux que tout autre moyen, semble pouvoir donner une « vision puissante » :

D'une **Numid**ie bien **numid**e : une **nation nation**, une **t**erre **t**otale.

(IV, v. 13)

Ici, l'écho sonore participe d'un jeu dérivatif, homophonique, que rompt le dernier mot du verset, l'adjectif *totale*, qui bloque la dérivation ou la répétition attendue (terre terrestre, terre terre). Malgré la présence de l'allitération en *t* et de la répétition de la consonne initiale, qui semble ménager un *continuum*, il y a ici une rupture, une cassure du schéma mélodique qui souligne l'importance de l'adjectif *totale*. Celui-ci, en effet, semble avoir pour fonction de traduire par le mot l'idée que la réitération des sons a voulu communiquer : celle d'une terre syncrétique. La répétition du même n'est donc pas ici simple psalmodie ou formule incantatoire, elle prétend, comme dans les langues orales, donner du sens : une nation c'est une nation entière, qui n'exclut aucune de ses composantes, une nation originelle, de l'ordre de Tellus et de Gaïa.

Dans ce poème libre, la rime ou plutôt les échos sonores de fin de syntagme ou de fin de mesure, qui, sans être systématiques, sont suffisamment présents pour être considérés comme des caractéristiques formelles de la poésie de Senghor, jouent un rôle non négligeable dans l'agencement rythmique des versets et leur signification :

> Que n'avais-tu fidèlement consulté / **la Négresse,** / **la Grand-Prêtresse** / **de Tanit** / couleur **de nuit ?**   (II, v. 16)

Ici, la rime et l'assonance métrique sont internes au verset et, même si elles ne relient pas le mot à la césure et le mot à la fin du verset, elles ménagent un jeu rythmique bien sensible en 3 / 4 / 3 / 4. Dans cet autre exemple :

> ... de leurs **fidèles**
> Si in**fidèles**...   (II, v. 20 et v. 21)

c'est aussi la rime dérivative qui permet d'assurer la cohésion métrique et sonore de ce fort enjambement (rejet externe d'un verset à l'autre).

Il arrive aussi que le croisement de deux rimes internes en chiasme serve à mettre en lumière un jeu de mots, comme dans cet alexandrin à rime enjambante :

> Ce s**oir**, **telle** la st**è** / **le** sur le promont**oire**   (III, v. 21)

Assez nombreux dans la poésie de Senghor, les jeux de mots, outre la richesse de l'exploitation homophonique qu'ils offrent, dérivent sur des analogies non dénuées d'originalité. Dans cette comparaison : paroles «baveuses» «comme l'é**cume** semence de **Cumes**» (II, v. 8), la rime interne est au service du rythme mais permet aussi de mettre en relief une certaine conception de la poésie, germination et discours prophétique comme celui de la grande Sibylle de Cumes.

Parfois même la rime semble systématique, comme un réflexe d'écriture qui s'apparente à une jonglerie verbale où les mots se génèrent de leur propre contamination, donnant lieu à des effets divers et parfois amusés mais qui, loin d'être le fruit du hasard et des aléas de la langue, sollicitent une vision englobante de l'Histoire :

> ... compagnons fidèles d'At**las**
> **T**u les as tous reconnus de ta r**ace**. Et les I**bères** avec les Ber**bères**.
>   (III, v. 11 et v. 12)

Nous avons dans cet exemple une rime externe et une rime interne, ce qui est une façon de souligner, par contraste avec le ton léger des vers rimés, l'hémistiche conclusif du verset 12 :

> Que ne t'eût imité Carthage ?   (III, v. 12)

ou l'unique hexamètre du poème :

> Héros sombre et sans ombre.   (III, v. 20)

tous les deux emphatiques et solennels comme au verset 20 de la quatrième laisse où les monosyllabes renforcent la rime interne et ferment le tableau sur un rythme paisible et lent où l'amenuisement des syllabes ne fait que préfigurer le processus de figement de la mort évoquée et qu'un *naï*, instrument élégiaque par excellence, pourrait traduire merveilleusement : «... tu dors dans les bras de la Mort.» (IV, v. 20)

Conclusion

En partant de l'étude d'un seul poème de Senghor, nous avons tenté de montrer le rôle majeur qu'occupent la musicalité du verset dans la gestion du sens, l'élaboration de la plastique et la modulation du rythme dans sa poésie. Nous avons vu comment, en prenant les unités métriques du vers français comme point de départ à la construction de son verset, le poète a procédé à des jeux prosodiques où son modèle initial, déformé-réformé, est sans cesse coulé dans la gaine métissée des rythmes du sud, multipliant à l'infini ses effets et ses mélodies au gré des élans ou des accalmies de la poésie. C'est ainsi que les envolées du rythme binaire et syncopé battent la mesure du *tar* et de la *darbouka*[2] pour dire les soubresauts de l'émotion et du corps, que les ondulations voluptueuses et fluides du dodécasyllabe et des vers surcomposés imitent les accents du *oud* ou du *quanoun* pour rendre la sérénité paisible d'une atmosphère ou d'un paysage, le déploiement lent et élégiaque de la phrase vibre du souffle du *naï* pour pleurer l'infidélité d'Énée ou la défaite d'Hannibal et l'emphase lyrique de la célébration emprunte à la *kamenjah* ses langueurs pour faire monter le chant de l'adhésion. D'une permanente transgression-remodulation de la métrique classique, que nous espérons avoir bien montrée, naît une variété de perspectives rythmiques qui donne au lyrisme de la poésie française les couleurs de la Méditerranée et qui fait battre le vers francophone au rythme initial et initiatique de l'Afrique.

Bibliograhie

Œuvres et textes de Senghor :
Anthologie de la nouvelle poésie nègre et malgache, Préface de J.-P. Sartre, Presses universitaires de France, Paris, 1948.
Postface d'*Éthiopiques. Poèmes*, Éditions du Seuil, «Point», Paris, 1985.
«L'apport de la poésie négro-africaine», conférence publiée dans l'ouvrage collectif *Poésie et langage*, La Maison du Poète, Bruxelles, 1954.
Ce que je crois, Grasset, Paris, 1988.
Liberté, Essais et propos en 5 volumes, Éditions du Seuil, Paris, particulièrement : *Négritude et humanisme*, I, 1964 ; *Négritude et civilisation de l'Universel*, III, 1977 ; *Le Dialogue des cultures*, V, 1993.

---

2. Le *tar* et la *darbouka* sont des instruments à percussion. Le *naï* est un instrument à vent, sorte de flûte en roseau. Le *quanoun*, le *oud* et la *kamenjah* sont des instruments à cordes. Le *oud* est le luth et la *kamenjah* est le violon.

Collectifs et revues :

L. S. Senghor, colloque de Cerisy, Éditions de la Revue *Sud*, Marseille, 1987.

Soleil, numéro spécial pour le quatre-vingt-dixième anniversaire de L. S. Senghor, oct.1996.

Hommage à L. S. Senghor, Textes réunis par Max-Yves Brandily, Éditions du Photophone, Maisonneuve et Larose, Paris, 2002.

Articles et ouvrages critiques :

AUTRAND Michel, « La Négritude et son chant selon Claudel et Senghor », *Revue d'histoire littéraire de la France*, 1988.

BADIOU Alain, *La Poésie de Senghor*, Vin nouveau, Paris, 1957.

COLLOT Michel, *La Matière-émotion*, PUF, Paris, 1997.

DELAS Daniel, *Poèmes de Léopold Sédar Senghor*, Bertrand Lacoste, « Parcours de lecture », Paris, 1989.

DELAS Daniel, « Senghor, musique, rythme et poésie » in *Itinéraires et contacts des cultures*, vol. 31 bis.

GUIBERT Armand, *L. S. Senghor*, « Poètes d'aujourd'hui », Seghers, Paris, 1961.

JOUANNY Robert, *Les Voies du lyrisme dans les Poèmes de L. S. Senghor*, Honoré Champion, Paris, 1986.

SOREL Jacqueline, *L. S. Senghor. L'Émotion et la Raison*, Sepia, Paris, 1995.

TILLOT Renée, *Le Rythme dans la poésie de L. S. Senghor*. Les Nouvelles Éditions africaines, Dakar, 1979.

Les instruments
de musique
dans les poèmes
de Senghor

© Festival d'été de Québec / OIF.

Un griot

Le griot ou djeli, spécialiste du maniement d'instruments musicaux et de la parole dans la société traditionnelle africaine, est un personnage central de la poésie senghorienne. Soundiata Keïta, le grand empereur mandingue, parlant des griots, aurait dit ceci : « Malinké évitez de faire pleurer les djelis, griots ou djelis soyez les yeux, les oreilles et la bouche du mandé ». Le griot est le seul à pouvoir être à la fois la voix du peuple et la voix du roi.

© OIF.

Musiciens joueurs de kôra

La kôra revient dans la majorité des poèmes de Senghor.
Il s'agit d'un instrument apparenté à la harpe et composé d'une calebasse, d'un manche en bois, de deux poignées, d'un chevalet, d'une peau de chèvre et de cordes.
La kôra est principalement utilisée par les griots, ce qui en fait un instrument d'exaltations, de glorification, de légendes…

© Festival d'été de Québec / OIF.

À gauche, musicien joueur de tam-tam

Le tam-tam et ses variétés (tam, gorong, sabar, tabala, etc.) est un instrument à percussion consistant en une ou deux peaux tendues sur une caisse de résonnance, le plus souvent en bois. Généralement affecté à la communication, il fait son apparition pour annoncer les évènements graves.

En Afrique, il nous vient de l'Empire mandingue, une société hiérarchisée en castes (les griots, les forgerons, les cordonniers), avec une langue commune (le bambara) et un roi (le Mansa).

© Barbacar Touré Mandemory / OIF.

Des joueurs de tabala

Le tabala est une variante wolof du tam-tam traditionnel. Il est fait d'une calebasse très évasée recouverte de peau.

© OIF.

Tambourinaires

Le tambour est une variante du tam-tam traditionnel. En Afrique, les tambourinaires ont la réputation de savoir mettre beaucoup d'ambiance au cours des cérémonies. Ils ont un important rôle protocolaire.

© Tréal Cécile / Ruiz Jean-Michel / Hoa-Qui.

Joueur de xalam

Le xalam veut tout simplement dire guitare en wolof.
Il s'agit d'un instrument de musique traditionnel à trois ou quatre cordes, que Senghor définit comme « une sorte de guitare tétracorde ». Il est constitué d'une calebasse recouverte de peau et de bois légers et offre des sonorités claires et hautes. Il est le plus souvent joué accompagné du bolon, une forme de guitare basse qui, lui, donne des sonorités sourdes et graves.

© Festival d'été de Québec / OIF.

À *droite, joueur de balafong*

Le balafong est un grand xylophone composé d'un châssis bas sur lequel sont parallèlement disposées dix-sept, dix-neuf ou vingt et une lames de bois de longueurs décroissantes. Chacune a son propre résonateur. Réalisés avec des calebasses sphériques de tailles progressives, les résonateurs de balafong sont pourvus chacun d'un ou deux tubes creux recouvert à leurs extrémités de membranes vibrant lors de la frappe sur les lames.

Le musicien joue avec deux baguettes entourées de caoutchouc aux extrémités et porte souvent des bracelets de grelots en fer aux poignets. Le balafong est généralement joué par des griots pour faire de la musique purement instrumentale.

Danse maure à Tafsit, Sahara, Algérie.
© Bourseiller Philippe / Hoa-Qui / Hachette photos.

Joueurs de darbouka

La darbouka est un tambour en forme de gobelet qu'on trouve principalement dans les régions du Maghreb (Tunisie, Algérie, Maroc, Mauritanie, Libye), du Proche et du Moyen-Orient. Elle est fabriquée en terre cuite en forme de gobelet à base ouverte (Maghreb), en bois ou en métal (Inde, Syrie). La peau tendue qui peut être aussi bien de chèvre que de poisson, est collée sur les bords puis tendue par des petits fils tressés. La darbouka est un instrument qui donne le rythme et la mesure, ce qui justifie sa place prépondérante dans la musique folklorique arabe et andalouse.

Musiciens et danseurs bassari en Guinée vers *1950-1953*.
© Huet Michel/Hoa-Qui.

Joueurs de flûte

Les flûtes traditionnelles africaines sont variées. Elles peuvent être sculptées sur du bois, du bambou, de l'aluminium, etc. Elles sont particulièrement utilisées lors des scènes qui se passent entre le crépuscule et l'aube, évoquant les fantasmes des uns, les élans amoureux des autres.

USA, Nouvelle-Orléans, enfant américain
© Gérard Sioen / Rapho.

Joueur de trompette

La trompette est un instrument aérophone à embouchure, en bois ou en cuivre avec un tuyau cylindrique incurvé s'élargissant et se terminant en pavillon. C'est l'instrument de prédilection des Jazzmen (Miles Davis, Chet Baker, Lester Bowie, Don Cherry, Freddie Hubbard, etc.).

Comptes rendus d'expérimentations pédagogiques

Andrée-Marie Diagne
Catherine Mazauric
Afifa Marzouki

Senghor,
la poésie et la musique

Échanges autour d'*Éthiopiques*
dans une classe de seconde à Dakar

Coordination : **Andrée-Marie Diagne**
ENS de Dakar
Professeur de lettres et maître-assistante à l'École normale supérieure de Dakar, elle a été entre autres chef du département des lettres modernes de l'ENS de Dakar et inspectrice générale de l'Éducation nationale au Sénégal. Elle est également depuis 2004 chargée de mission auprès du président de la Fédération internationale des professeurs de français (FIPF).

Établissement : Lycée Thierno Saïdou Nourou Tall de Dakar.
Professeur : Mme COLY, Madeleine Annie Diandail SANÉ.
Classe : 2nde Sa.
Nombre d'élèves : 12 volontaires sur un effectif total de 55 élèves.

Ibrahima DIOP	Pape Ousseynou MBAYE
Kalmy DIOP	El Hadj Amadou NDIAYE
Rokhaya DIOP	AssiéTou SECK
Babacar DIOUF	Mamadou SECK
Souleymane DIOUF	Soda SECK
Mame Ndoumbé MBACKÉ	Sény SOW

Illustration : Marième Soda Ndiaye, TS.

Période : Novembre/Décembre 2005.
– 1er enregistrement au GEEP le jeudi 8 décembre : choix d'extraits et musique.
– 2e enregistrement au lycée le mardi 27 décembre : cours.

Documents à la disposition des élèves :
– photocopie du recueil *Éthiopiques*.
– Manuel *Le français en 2nde*, Edicef, 1998.

Documentation du professeur :
– L. S. Senghor, *Poèmes*, Éditions du Seuil, 1964.
– Manuel *Le français en 2nde*, Edicef, 1998.
– L. S. Senghor, Éthiopiques, CNED, 1998, (vidéocassette).

Conseiller pédagogique : Mme DIAGNE Andrée-Marie Bonané, Maître-assistante, FASTEF/Ex-ENS/UCAD.

Accompagnement musical : Willis Faggarou Band (Orchestre) et Elite Vocale (Chorale).

Enregistrement : Studio Odiovizio/Dakar.

Fiche pédagogique

Objectifs : amener les élèves à retrouver l'atmosphère musicale voulue par le poète.

Compétences exigibles :
• Savoir exploiter certains éléments qui font la musicalité du verset senghorien.
• Connaître les instruments de musique indiqués par Senghor pour chaque poème.
• Savoir justifier le choix de l'accompagnement musical indiqué.
• Savoir exécuter un morceau choisi de Senghor en suivant ses consignes.

Consignes de recherche :
1. Les instruments de musique indiqués en accompagnement musical (*travail individuel*) :
• Les recenser en dressant une statistique de leurs récurrences d'emploi.
• Les définir : forme, type, rôle, symbolique, espace culturel et géographique, circonstances où ils sont utilisés.
2. L'adaptation de l'accompagnement musical au texte (*travail en groupe*) :
• Écouter les différents instruments de musique recensés.
• Analyser leur adéquation avec le texte indiqué.
• Choisir un passage que vous pouvez *LIRE* ou *RÉCITER, PSALMODIER* ou *CHANTER*.
3. La musicalité du vers (*travail individuel*) :
• *Cf.* « L'homme et la bête » (strophe 1) ; « L'absente » I et II « À New York » III.
• Étudier les sonorités, le rythme et les images poétiques.

Déroulement du cours

INTRODUCTION

Pour vous, élèves du Sénégal, qui est Senghor ?
• Léopold Sédar Senghor est un grand poète.
• Le premier président de la République du Sénégal.
• Le premier Noir à siéger à l'Académie française.
• Le premier agrégé noir (en grammaire).

Présentation du recueil
• 1956 : *Éthiopiques* est le troisième recueil de poèmes publié par L. S. Senghor.
• 1er recueil : *Chants d'ombre*, 1945. Senghor y présente son Royaume d'Enfance.
• 2e recueil : *Hosties noires*, 1948. C'est un hommage aux tirailleurs sénégalais.

Éthiopiques nous semble un recueil central en ce sens qu'il est le seul où le poète indique avec précision et systématiquement l'accompagnement musical le plus approprié.

De plus, c'est celui qui est suivi de la célèbre postface « Comme les lamantins vont boire à la source » où Senghor expose sa poétique.

Instruments de musique indiqués pour l'accompagnement

*Orgue (1 fois)	*Flûte (2 fois)	*Trompette (1 fois)
*Khalam (3 fois)	*Tam-tam (1 fois)/ tam-tam funèbre (2 fois)	
	tam-tam d'amour, vif (1 fois)	
	tabala (1 fois)	
*Balafong (5 fois)		*Kôra (9 fois)

Présentation de ces instruments

NB : Senghor ne prend la peine de définir dans un lexique que les instruments typiquement nègres désignés par des mots d'origine africaine.

L'orgue

Instrument à vent composé de grands tuyaux que l'on fait résonner par l'intermédiaire de claviers. Certaines orgues (le mot est du genre masculin au singulier et féminin au pluriel) sont de taille impressionnante : il en existe qui couvrent tout un pan de mur dans les églises européennes surtout où elles accompagnent la musique liturgique.

La flûte

Instrument à vent formé d'un tube creux percé de trous. Au Sénégal on le retrouve entre les mains des bergers de l'ethnie peule.

La trompette

Instrument à vent qui fait partie des cuivres. S'utilise dans le monde militaire où il sert entre autres à sonner la charge, mais aussi en musique, surtout dans le jazz.

Le khalam

Sorte de guitare tétracorde. Il s'utilise exclusivement chez les griots wolofs qui s'en accompagnent pour chanter l'ode ou l'élégie.

Le balafong

Instrument de musique d'origine mandingue. Sorte de xylophone formé d'une quinzaine de lames de bois sous lesquelles sont fixées des calebasses de tailles différentes servant de résonateurs.

La kôra

Sorte de harpe de 16 à 32 cordes fixées sur un long manche cylindrique qui prolonge une calebasse tendue d'une peau de chèvre. La kôra est tenue verticalement devant lui par le dyâli qui l'utilise pour chanter l'ode ou l'épopée.

Selon Renée Tillot[1], kôra et balafong « s'harmonisent, car la kôra a une gamme tempérée alors que le balafong présente une gamme non tempérée. Ces deux instruments associés permettent un accompagnement polyrythmique ».

Le tam-tam

Tronc sculpté, de tailles très différentes, tendu d'une peau de bête, le plus souvent de chèvre. On distingue entre autres le *tama*, le *sabar*, le *mbalax*, le *dyoung-dyoung*, le *ndeunde*, le *ndama*...

Le tabala est un tam-tam de guerre aujourd'hui plutôt utilisé dans la confrérie musulmane *khadre*. Cet instrument est fait d'une grande calebasse tendue d'une peau de bête.

Étude de textes

Quelle musique pour quel texte ?

L'HOMME ET LA BÊTE

(pour trois tabalas ou tam-tams de guerre)

Je te nomme Soir ô Soir ambigu, feuille mobile je te nomme.
Et c'est l'heure des peurs primaires, surgies des entrailles d'ancêtres.
Arrière inanes faces de ténèbre à souffle et mufle maléfiques !
Arrière par la palme et l'eau, par le Diseur-des-choses-très-cachées !
Mais informe la Bête dans la boue féconde qui nourrit tsétsés stégomyas
Crapauds et trigonocéphales, araignées à poison caïmans à poignards.

(« L'homme et la bête », *Éthiopiques, O. P.,* p. 99)

En quoi les tabalas sont-ils en accord avec le texte ?
Quels aspects du texte révèlent cet accompagnement musical ?

Ce poème est une évocation du soir, moment où les Esprits s'animent, où toutes les peurs inexpliquées renaissent.

Le poète part en guerre contre des bêtes le plus souvent immondes symbolisant le Mal dans l'esprit de l'homme : « crapauds, trigonocéphales, araignées, caïmans », démasqués dans une accumulation qui souligne la diversité des ennemis à abattre dans la mêlée.

On retiendra la détermination du poète (« Diseur-des-choses-très-cachées » ?) à se dresser comme un bouclier pour protéger les siens : pour mieux le neutraliser, il ose désigner le moment fatidique « Je te nomme Soir ô Soir ambigu »; il prend de la hauteur car lui a le « pouvoir du verbe »[2], le pouvoir de re-création

---

1. *Le Rythme dans la poésie de Léopold Sédar Senghor,* Les Nouvelles Éditions africaines, Dakar, 1979.
2. « Comme les lamantins vont boire à la source », Postface d'*Éthiopiques, O. P.,* p. 158.

par la seule force de l'évocation. « L'image (poétique) est dans la simple nomination des choses[3]. »

La violence du ton vient soutenir cette détermination et se révèle dans l'anaphore « Arrière... Arrière... », dans l'emploi de la phrase exclamative et les allitérations en [s] et [t] que l'on trouve dans les mots « tsétsés stégomyas ».

Le poète, par la seule force de la parole, repousse les forces obscures du soir, des ténèbres, toutes les peurs ataviques... Il utilise ses croyances chrétiennes « par la palme et l'eau » et aussi ses croyances animistes « Diseur-de-choses-très-cachées ».

L'ABSENTE

(guimm pour trois kôras et un balafong)

I

Jeunes filles aux gorges vertes, plus ne chantez votre Champion et plus ne chantez l'Élancé.
Mais je ne suis pas votre honneur, pas le Lion téméraire, le Lion vert qui rugit l'honneur du Sénégal.
Ma tête n'est pas d'or, elle ne vêt pas de hauts desseins
Sans bracelets pesants sont mes bras que voilà, mes mains si nues !
Je ne suis pas le Conducteur. Jamais tracé sillon ni dogme comme le Fondateur
La ville aux quatre portes, jamais proféré mot à graver sur la pierre.
Je dis bien : je suis le Dyâli.

(« L'absente », *Éthiopiques, O. P.*, p. 110)

Imaginez l'accompagnement musical.
Pourquoi trois kôras et un balafong ?

Strophe I :

Qui est le personnage principal de ce morceau ?
Analysez l'emploi de la négation.

Le poète se remémore les odes créées par les jeunes filles en l'honneur des champions de lutte traditionnelle. Mais voilà que leur champion leur intime l'ordre de ne plus le glorifier : il ne veut plus être ni leur « Champion », ni « l'Élancé », ni « le Lion téméraire », ni « le Conducteur », ni « le Fondateur »; il s'efforce de gommer toutes ses vertus, toute sa beauté; il ôte toutes ses parures, il se dépouille de tous ses titres... Dans quel but ? La seconde strophe le révèlera.

Le champion se dépouille de tout ce qui fait sa grandeur, lentement, dans une litanie de phrases à la forme négative, ce qui intrigue... Et, dans la chute, au dernier verset, de manière plutôt inattendue, il se représente dans le rôle du « Dyâli ».

---

3. *Op. cit.*, p. 158.

Le dyâli est-il ce griot louangeur qui vit aux dépens de celui qui lui fait des largesses ? Que non ! Senghor lui-même le définit comme un « troubadour d'Afrique noire, poète et musicien ». C'est le griot mandingue, mémoire vivante de tout un peuple qui récite l'épopée ; c'est l'homme attaché à son suzerain et qui compose des odes en son honneur. « Dyâli » est ici synonyme de poète, ce qui est le rôle premier du griot, même lorsqu'il travaille sur un texte qui n'est pas de son cru.

II

Jeunes filles aux longs cous de roseaux, je dis chantez l'Absente la Princesse en allée.
Ma gloire n'est pas sur la stèle, ma gloire n'est pas sur la pierre
Ma gloire est de chanter le charme de l'Absente
Ma gloire de charmer le charme de l'Absente, ma gloire
Est de chanter la mousse et l'élyme des sables [...]

(« L'Absente », *Éthiopiques, O. P.*, p. 110)

Extrait de la strophe II :

Qui est le personnage principal de ce morceau ?
Analysez l'art du dyâli.

Dans ce morceau apparaît la figure de l'Aimée, « l'Absente », « la Princesse en allée ».

Le voilà, le secret du Champion devenu Dyâli : amoureux, il entreprend à son tour de créer une ode, un chant à la gloire de l'Aimée.

On sent dans cet extrait, tour à tour et en même temps, la fougue du dyâli et l'amour du poète qui tourne à l'obsession. En témoignent la répétition des mots « charme » et « chanter », l'allitération en [ʃ] qui souligne la douceur de l'évocation, et surtout, l'anaphore « ma gloire » qui permet de scander les versets et de rythmer le chant.

Le tumulte des sentiments, la frénésie du dyâli sont soutenus par le chœur des kôras et du balafong.

À NEW YORK

(*pour un orchestre de jazz : solo de trompette*)

III

New York ! Je dis New York, laisse affluer le sang noir dans ton sang
Qu'il dérouille tes articulations d'acier, comme une huile de vie
Qu'il donne à tes ponts la courbe des croupes et la souplesse des lianes.
Voici revenir les temps très anciens, l'unité retrouvée la réconciliation du Lion du Taureau et de l'Arbre
L'idée liée à l'acte l'oreille au cœur le signe au sens.
Voilà tes fleuves bruissants de caïmans musqués et de lamantins aux yeux de mirages. Et nul besoin d'inventer les Sirènes.
Mais il suffit d'ouvrir les yeux à l'arc-en-ciel d'Avril
Et les oreilles, surtout les oreilles à Dieu qui d'un rire de saxophone créa le ciel

et la terre en six jours.
Et le septième jour, il dormit du grand sommeil nègre.

(«New York», Éthiopiques, O. P., p. 117)

Strophe III :

Quelles sortes de sons peut-on tirer d'une trompette ?
À quels versets ces sons vous semblent-ils le plus adaptés ?

Une trompette peut aussi bien produire un son éclatant qu'un son plaintif, plein de nostalgie.

Le son éclatant de la trompette se prêterait bien au 1er verset où il mettrait en évidence l'apostrophe «New York !»; dans le 8e verset, il soutiendrait le «rire de saxophone», rire de joie et de satisfaction émis par Dieu après la création du monde.

> Et les oreilles, surtout les oreilles à Dieu qui d'un rire de saxophone créa le ciel
> et la terre en six jours.

Le son plaintif tiré de la trompette se prêterait mieux aux versets les plus longs, mais surtout au dernier verset où le poète se représente Dieu dormant du sommeil du Juste après une semaine de labeur.

> Et le septième jour, il dormit du grand sommeil nègre.

Les versets 2 et 3, avec les allitérations en [k] alternant avec les dentales [d t] et la labiale [p] rendent des sons durs qui évoquent les ricochets sur l'acier et la pierre, matériaux dominants dans les hautes constructions de la ville de New York. C'est pourtant par là que le poète veut montrer le caractère irréversible, grâce au seul «sang noir», de la transmutation de la ville altière, belle, mais froide. C'est aussi l'occasion pour lui d'inviter ses frères, les Afro-Américains, à un retour aux sources salvateur :

> […] laisse affluer le sang noir dans ton sang
> **Qu**'il dé**t**rouille **t**es ar**t**i**c**ulations d'a**c**ier, **c**omme une huile **d**e vie
> **Qu**'il **d**onne à **t**es **p**onts la **c**ourbe **d**es **c**roupes et la sou**p**lesse **d**es lianes.

Le rythme (endiablé ? pour orchestre de jazz ?) s'accélère dans les versets 4 et 5 où, par le biais d'accumulations, le poète évoque une communion des forces vitales.

> Voici revenir les temps très anciens, l'unité retrouvée la réconciliation du Lion du
> Taureau et de l'Arbre
> L'idée liée à l'acte l'oreille au cœur le signe au sens

Conclusion

Dans *Éthiopiques*, l'accompagnement musical est voulu par le poète qui se présente comme le dyâli.

Senghor rappelle la fonction première du poème qui doit être chant – et pas seulement dans la Grèce antique... «Il est temps (dit-il) d'arrêter le processus de désagrégation du monde moderne, et d'abord de la poésie. Il faut restituer celle-ci à ses origines, au temps qu'elle était chantée – et dansée[4].» Et encore : «Je persiste à penser que le poème n'est accompli que s'il se fait *chant, parole et musique* en même temps[5].»

Entretien entre Mme A.-M. Coly et Mme A.-M. Diagne

«– Madame Annie Madeleine COLY, bonjour.

– *Bonjour, Madame Andrée-Marie Diagne.*

– Madame Coly, vous êtes professeur de Lettres au Lycée Saïdou Nourou Tall de Dakar. Avec vos élèves de 2nde et à l'invitation de la revue *Le français dans le monde*, vous avez accepté, de concert avec d'autres jeunes et d'autres enseignants du monde entier, de célébrer **2006, l'année Léopold Sédar Senghor**.

Permettez-moi de vous poser trois questions :
1°) Chanter L. S. Senghor, en abordant ce thème «Senghor et la musique», pour de jeunes Sénégalais nés au milieu des années 1980, et qui ont vécu dans un environnement culturel et politique différent de celui du poète-président, était-ce une découverte ?

– *Je pense que ça a été une grande découverte pour mes élèves. Ils sont nés à une période où Senghor n'avait plus autant de mainmise sur la vie politique sénégalaise, mais, dans la vie culturelle, il est toujours resté une référence. Et mes élèves se sont tout de suite retrouvés dans ses textes. Ils avaient les mêmes aspirations que l'auteur. Ce même désir de mettre en avant leur culture. Ce même désir de se montrer fiers de leur négritude. Ceci m'est apparu d'une manière fulgurante. Et lorsque je les ai invités à se présenter bénévolement pour l'enregistrement de cette émission, j'ai eu tout de suite une quinzaine d'élèves, sans efforts. Ceci montre leur engouement pour cet auteur. Cet auteur qui n'a jamais été oublié et qui a été remis au goût du jour, à l'occasion de son décès – malheureusement –*

---

4. et 5. «Comme les lamantins vont boire à la source», Postface d'*Éthiopiques*, *O. P.*, p. 168.

notamment avec un grand chanteur de rap, que nous avons ici au Sénégal, je veux nommer Didier Awadi.

– En somme, on peut considérer que Senghor est réconcilié avec la jeunesse séné-galaise. Je me rappelle encore les longues files recueillies devant le catafalque : tout le monde, des jeunes comme des adultes, avait tenu à lui rendre hommage.

– Cela a été un grand moment d'émotion et je crois que, autour de sa dépouille, tous les Sénégalais, dans un même élan, ont tenu à lui rendre, d'une manière ou d'une autre, hommage. Les jeunes n'ont pas été en reste. Ils ont été aussi émus que, je dirais – non pas leurs pères, mais leurs grands-parents –, de voir ce grand homme partir. Et ils l'ont montré, sous différentes formes, en reprenant ses poèmes, dans différents concours qui ont été organisés, en chantant, en repre-nant les textes de Senghor sous formes de chansons, qu'ils vont « rapper », ou bien qu'ils vont psalmodier, à eux de voir, selon leur inspiration du moment.

– 2°) Baudelaire disait : « *La musique souvent me prend comme une mer* »... Léo-pold Sédar Senghor, la poésie et la musique : vous avez choisi *Éthiopiques* (1956). De tous les recueils du poète sérère, est-ce le plus indiqué pour aborder ce thème, avec des élèves du Secondaire que vous avez laissés tracer eux-mêmes leur itiné-raire de lecture ? Quelles sont les raisons de vos choix ?

– Alors, ce choix, il émane d'abord de moi. J'ai pensé que le recueil Éthio-piques était un recueil central, le recueil qui imprime le plus la marque de la matu-rité du poète dans sa production littéraire. Éthiopiques est un recueil de réconci-liation des cultures. Le poète ne se plaint de rien. Il ne prie plus pour ses morts. Il voudrait chanter et prier pour tous les hommes du monde. Il voudrait, bien sûr, rappeler ses origines nègres – mais pas les jeter à la face du monde – pour appor-ter sa pierre à cette civilisation de l'universel dont il était si friand. Donc, il m'a sem-blé que ce recueil-là serait le plus important, le plus indiqué à étudier avec mes élèves. Et mes élèves tout de suite s'y sont retrouvés. Quand je leur ai proposé ce recueil, nous l'avons comparé à Hosties noires, à Chants d'ombre notamment. Et ils se sont dit : « Mais, c'est dans ce recueil que Senghor systématise l'accompagne-ment musical. » Alors, pourquoi pas ? Pourquoi ne pas l'attaquer ? Il m'a semblé juste de choisir ce recueil, puisque justement l'accompagnement musical se fait avec des instruments de chez nous, la plupart du temps. Et que chaque fois qu'il invoquait des instruments venus d'une autre civilisation, d'une autre ère, d'un autre monde, c'était justement pour rappeler que toutes les musiques se valaient, que toutes les musiques étaient universelles. Et on s'y retrouve très, très bien.

– Avec ce recueil, nous avons senti Senghor humain, trop humain, à la limite. Nous l'avons senti en proie à une sorte d'angoisse existentielle, qu'on était loin de soup-çonner chez l'homme d'État qu'il était. Et par le choix de la musique, il semble avoir élu un langage universel. Vous parliez tantôt de « civilisation de l'universel ».

Il a voulu qu'à travers la musique toutes les oreilles entendent ce message, sans recours à la traduction. Cela justifie-t-il encore le rapprochement entre musique et poésie ?

*– Eh oui, c'est que Senghor dit bien que dans ses poèmes, il suffit de **nommer** un être, un objet, un phénomène, pour lui donner toute sa force d'image. Il lui suffit de nommer un objet pour lui donner vie, et c'est peut-être en cela que je dis que le poète avait beaucoup mûri. Il utilise les mots de son terroir pour désigner les choses, quitte ensuite à s'expliquer dans un lexique ajouté aux dernières rééditions de ses différents recueils. Mais son souci reste toujours le même : c'est un homme qui est resté authentique. C'est un homme qui est resté authentique même lorsqu'il était au croisement de plusieurs cultures. Et nous savons combien il a puisé dans sa culture sérère – Chants d'ombre nous l'a bien démontré –, combien il a puisé dans la culture gréco-romaine, et combien il doit à son appartenance à la religion chrétienne, combien il doit à ses traditions, j'allais dire, à sa religion traditionnelle. Il ne renie aucune de ses essences qui font son essence à lui.*

– Et c'est pour cela qu'il s'est toujours désigné comme un métis culturel ?

*-- **Le** métis culturel. Sans aucun complexe, sans aucune crainte.*

– 3°) Le voilà donc devenu pour nous, pour nos jeunes, « **Mame Senghor** ». C'est une expression qui m'a beaucoup touchée lors des funérailles : « **Mame** », c'est-à-dire « Le Grand-père, l'ancêtre ». Accéder à ce rang d'ancêtre, c'est, je pense, pour tout Africain et pour toutes les religions africaines, la consécration suprême, qui vaut l'Académie, qui vaut le Nobel…

Alors, Senghor : **1906-2006**. Que représente Senghor pour les jeunes, les hommes et les femmes de ce IIIᵉ millénaire dont il a si longuement scruté l'horizon ? En d'autres termes, au moment où nous venons de commémorer le 4ᵉ anniversaire de sa disparition, quelle est l'actualité de la pensée de cet homme de culture, qui avait annoncé bien longtemps à l'avance la mondialisation ?

– Senghor reste une icône. Quoi que l'on fasse, que l'on soit partisan ou détracteur de Senghor, les idées majeures tournent autour de lui. On construit ses idées autour des siennes. Ça, c'est ma conviction profonde. Euh… De grands hommes ont dû produire abondamment, en réponse à Senghor, parce que Senghor les avait interpellés sur certains points. Je pense à Ousmane Sembène, qui a été interpellé par Senghor sur un point linguistique : l'orthographe d'un terme, CEDDO, qui était en l'occurrence le titre d'un de ses films. Je pense à Cheikh Anta Diop, qui a été un adversaire sur le plan universitaire; leurs idées se sont entre-choquées. Je crois que finalement, ils se sont enrichis mutuellement, grâce à ce choc.

Ainsi, même ses détracteurs ont dû construire toute leur logique interne, toute leur poétique, s'ils étaient écrivains, autour de ce concept de Négritude, que l'on acceptait ou que l'on pouvait tout simplement rejeter, comme si c'était quelque chose de désuet.

– En guise de conclusion, Madame Coly, si l'on ne devait – à l'heure où se prépare le 3e Festival Mondial des Arts et de la Culture nègres – s'il ne fallait retenir que quelques mots, je dirais, « Senghor le généreux », « Senghor le visionnaire ». Qui, le premier, a pensé à un tel « manifeste » ?

– *Senghor. Senghor est le précurseur en ce domaine et dans bien d'autres domaines, bien sûr. Mais sur le plan culturel, il a su faire de Dakar une capitale à la mesure de Paris, en ce sens qu'il a rassemblé ici de très grands écrivains, venus d'horizons divers, et qui ont vécu dans une parfaite symbiose, tant qu'il était président de la République. Nous le verrons, à l'époque de Senghor, le théâtre foisonnait, les arts et la culture rayonnaient de tous leurs feux. Je ne dis pas que ce n'est plus le cas aujourd'hui, mais enfin, le temps de la splendeur en la matière était l'époque de Léopold Sédar Senghor.*

– Merci, Annie COLY. »

De Dakar à Toulouse en passant par Canberra, sur les ailes du poème

Coordination : **Catherine Mazauric**
Université deToulouse
Maître de conférences à l'université Toulouse 2 Le Mirail (France), où elle dirige le DEFLE. Spécialiste de littérature africaine et de didactique du français, elle a également enseigné, entre autres, à l'E.N.Sup de Bamako (Mali) et à l'E.N.S. de Dakar (Université Cheikh Anta Diop, Sénégal). Dernier ouvrage paru : Le Goût du Sénégal *(Mercure de France, 2006).*

Enseignants intervenants : Bernard Lazare, Perrine Minvielle-Debat, Catherine Baudel, Camille Saglio, avec l'aimable participation d'Isabelle Péguilhan.

Si l'œuvre de Léopold Sédar Senghor a figuré au programme de l'agrégation de Lettres, ainsi qu'à celui du baccalauréat section L, elle reste, au sein de l'Hexagone, abordée de façon relativement timide dans les classes de français, sans doute en raison d'une difficulté supposée. Elle est en revanche inscrite en bonne place au programme de celles d'une grande partie de l'Afrique subsaharienne, et ce, dès le collège, voire plus tôt, avec, notamment, ces pièces que chaque élève sait par cœur, « Nuit de Sine », « Joal » et « Femme noire »[1]. Et c'est en « psalmodiant » les poèmes, observe Nimrod, qu'il garde « de ces instants primesautiers un arrière-goût d'enchantement[2] ». Aussi peut-on observer sa présence, sous forme de citation ou d'hommage, jusque dans des genres *a priori* fort éloignés de ce qu'aurait prisé l'académicien, comme le rap. Dans *Patrimoine*, Didier Awadi échantillonne la « voix off de Son Excellence le Président Léopold Sédar Senghor », qui profère au début du morceau cette formule lapidaire, moins consensuelle que la vulgate ne l'a généralement retenu : « Après les comptoirs coloniaux de l'ère coloniale, les comptoirs idéologiques de l'ère atomique[3] ». Dans le film que la documentariste Béatrice Soulé lui a consacré pour la collection *Un Siècle d'écrivains*[4], c'est un

---

1. *Chants d'ombre*, O. P., pp. 14, 15 et 16.
2. Cité dans *Le Monde des livres* du 14 mars 2003, p. VI. L'écrivain tchadien Nimrod est également l'auteur d'un *Tombeau de Léopold Sédar Senghor*, Cognac, Le Temps qu'il fait, 2003.
3. Awadi, *Un autre monde est possible*, Sony/ATV Music Publishing France, 2005.
4. *Léopold Sédar Senghor, au rythme du poème*, 1996, 48 mn, production Le Poisson volant, RTS, PRV et France 3 (http://www.cnc.fr/intranet_images/data/CNC/Recherche/fiche2.asp?idf=1895).

rappeur, en l'occurrence Amadou Barry, alias Doug E Tee, co-fondateur, avec DJ Awadi, du duo de rap pionnier de la scène sénégalaise, Positive Black Soul, qui fait office de récitant, tantôt lisant des poèmes, tantôt citant discours et essais du poète président. L'interprétation de certains poèmes est parfois accompagnée de kora, *xalam* et balafong, tantôt... rappée, comme c'est le cas de « Congo »[5]. La réalisatrice du film prend Senghor au mot, lui qui écrivait que « le poème est comme une partition de jazz, dont l'exécution est aussi importante que le texte », et que « le poème n'est accompli que s'il se fait chant, parole et musique en même temps »[6].

La référence senghorienne particulièrement insistante au jazz appelle ainsi à une scansion rythmée et rimée[7] somme toute fort proche de ce qu'est le rap. D'autre part, la Postface aux *Éthiopiques* envisage explicitement trois façons de dire le poème : le « réciter », le « psalmodier » ou le « chanter ». Pour le premier type d'interprétation (le poème « récité »), Senghor précisait : « je ne dis pas : déclamé[8] ». Ainsi, c'est bien le rythme, en l'occurrence fondé sur un patron ternaire, où la syncope (accent sur le contre-temps et non sur le temps, aspiré par le silence) est primordiale, ce rythme « coupé d'asymétries », comme il le note encore dans sa Préface aux *Nouveaux contes d'Amadou Koumba*[9], qui permettra au poème d'être rendu à sa plénitude. Comme l'ont plus tard souligné Gérard Dessons et Henri Meschonnic, le rythme dont il s'agit n'a rien à voir avec le battement binaire auquel l'Occident le réduit trop souvent : « Il n'est de rythme que d'opérer la synthèse de la syntaxe, de la prosodie et des divers mouvements énonciatifs du texte[10] ».

Les acteurs de ces expérimentations ont donc cherché à revenir à l'esprit comme à la lettre senghoriens, en proposant à des apprenants divers, collégiens, lycéens et étudiants, en contexte de français langue maternelle, étrangère ou seconde, de mettre en voix, en rythme et en musique les poèmes de leur choix. Si l'on a d'abord envisagé de poursuivre sur les pistes ouvertes par les rappeurs dakarois, ce sont d'autres tracés qui se sont dessinés au fil des lectures. L'ensemble des apprenants, étudiants ou lycéens, tout comme les enseignants eux-mêmes, revisitent le répertoire senghorien en s'attachant à des contrées relativement peu explorées de l'œuvre. Sa dimension rythmique essentielle est parfois heureusement mise en exergue, mais ce n'est pas au détriment d'une dimension plus discrète, parti-

---

5. *Éthiopiques*, O. P., p. 101.

6. « Comme les lamantins vont boire à la source », Postface d'*Éthiopiques*, O. P., pp. 167 et 168.

7. On inclut ici toute rime intérieure et tout effet sonore fondé sur le retour régulier de phonèmes.

8. O. P., p. 167.

9. « Alors qu'en Europe le rythme, basé sur les répétitions et les parallélismes, provoque un ralentissement et un mouvement statique, en Afrique noire, tout au contraire, répétitions et parallélismes provoquent une progression dramatique. D'autant qu'il ne s'agit pas que d'une simple répétition... les répétitions se présentent avec de légères variantes et les parallélismes sont coupés d'asymétries. On sent que la répétition ne peut se prolonger indéfiniment, que la rupture approche... », in Préface aux *Nouveaux contes d'Amadou Koumba* de Birago Diop, Paris, Présence africaine, 1961, p. 21.

10. In *Traité du rythme – Des vers et des proses*, Paris, Nathan/VUEF, 2003, p. 6.

cipant également de son charme, au sens étymologique du terme, à savoir une musicalité mélodique profonde. L'élection de certains poèmes, tout comme les interprétations, au double sens du terme, qui en sont réalisées, mettent en lumière des trajets de lecteurs dans l'intimité d'une œuvre, que redisposent des sujets à leur tour créateurs.

Les lycéens de Saint-Sernin, à Toulouse, retiennent deux poèmes de *Chants d'ombre*, un d'*Éthiopiques*, loin d'être des plus connus et des plus souvent cités, un des *Lettres d'hivernage*, deux extraits d'une des *Élégies majeures* et trois des *Poèmes divers*. Les élèves australiens, eux, portent exclusivement leur choix sur trois des *Lettres d'hivernage*, choix paradoxal après tout pour de tout jeunes gens, si l'on se rappelle que Senghor, jeune septuagénaire, y rassure l'épouse quant aux quelques fils blancs qui parent sa chevelure dorée, la saison des pluies venant brouiller l'hiver de l'âge qui survient... Cependant, la forme vocative ou dialogale du poème épistolaire, illustrée à travers le recueil, le rend sans doute plus proche et familier, en raison de sa proximité affichée avec les formes orales du discours. Malgré la luxuriance de ses images et la richesse érudite de ses symboles, c'est sans doute pour des raisons similaires que «Vacances» (de *Chants d'ombre*) a été choisi en classe de Français Langue Étrangère à l'Université du Mirail.

Il s'agit donc de passer outre la prétendue distance qui éloignerait les élèves d'aujourd'hui de la haute poésie, *a fortiori* celle d'un auteur parfois considéré comme hermétique, du moins loin de son continent natal. À l'occasion d'un séminaire, la transposition de «Congo» par Positive Black Soul est évoquée; Perrine Minvielle-Debat saisit la balle au bond : il y a quelque temps, en Australie, elle s'est livrée avec ses élèves à une expérience similaire. Elle expose brièvement cette dernière, et rapidement le parti qu'on peut en tirer, en la transposant derechef auprès d'autres publics, apparaît. Nous envisageons ensemble de la réitérer avec des étudiants étrangers de l'université du Mirail, à Toulouse, ceux-là même auprès de qui sera finalement réalisée une autre pratique (*cf. infra*). Les contraintes liées à un semestre universitaire extrêmement resserré n'en permettront finalement pas la mise en œuvre. Mais Perrine Minvielle-Debat expose ici comment ces élèves des antipodes, à travers une mise en voix et en corps de trois poèmes, se sont finalement approprié une part de la langue française avec l'une des parts les plus intimes du verbe senghorien.

Tout commence à Canberra

Expérience racontée par Perrine Minvielle-Debat.

En Australie, à Canberra, l'établissement Telopea Park School offre un *French Stream*, de la maternelle au baccalauréat. Une grande majorité d'élèves australiens – pour qui l'anglais est d'ailleurs parfois la langue seconde – y apprennent le français comme une langue étrangère. Dans cette cité idéale et verdoyante, improbable capitale administrative au cœur de la savane, la communauté francophone se regroupe autour des activités de l'Alliance française. Dès le mois de septembre le sol se réchauffe, les eucalyptus brassent une lumière plus franche et, faute d'hirondelles, arrive le « Printemps des poètes ». Les élèves de Telopea sont encouragés à y participer, en offrant la contribution de leur choix.

Pour moi, c'est la première semaine dans cette école. Le travail sur le français poétique me semble un peu prématuré, à ce point zéro de ma rencontre avec les élèves de *Year 8*[11]. Je suis encore une parfaite inconnue, tout juste arrivée de l'*autre* face du monde, je parle l'*autre* langue, et crains d'outrepasser les limites du nouveau et de l'étrange si je commence par évoquer, sans préambule, le français des poètes. Je décide pourtant d'en prendre mon parti, en songeant qu'il serait vain d'espérer se rencontrer sans la moindre sensation d'étrangeté. Après tout, au premier jour d'une nouvelle année scolaire, nez à nez avec le nouveau professeur français venu d'Europe, ces enfants ne se trouvent pas dans la situation la plus quotidienne et anodine comme le langage quotidien est « anodin » : autant donc commencer par la poésie !

Je me propose d'orienter notre travail pour le « Printemps des poètes » selon deux axes parallèles : le statut singulier du texte poétique, d'une part et, d'autre part, sa dimension orale. Passons rapidement sur la progression et la mise en œuvre de la première direction du travail[12] et notons que, pour l'apprentissage du français langue étrangère, la langue marginale des poètes permet d'aborder très explicitement la problématique de l'altérité. En retour, la réflexion sur l'autre, sur les modes d'expression de l'autre, les images de l'autre, offre un accès tout à fait judicieux à la logique poétique. À propos de ces images, il va sans dire que certaines demeurent incommunicables, d'autres donnent lieu à des malentendus ; or, pour ces élèves, l'expérience des incomplétudes du langage n'est pas la moins intéressante.

Au même moment s'engage le deuxième volet du travail sur la dimension orale, sonore, du poème. Les phonèmes du français sont notoirement difficiles à reproduire, et la prosodie particulière de cette langue (son phrasé, son rythme, sa mélodie), disons sa musique, est tout à fait étrangère à la musique de l'anglais de mes élèves, au point que leur prononciation du français n'est pas vraiment assurée.

---

11. La classe qui prépare au Brevet et correspond à la « troisième » des collèges français.

12. Corpus varié de 32 poèmes francophones de Ronsard à nos jours, sans indication de date ni d'auteur ; choix par l'élève de celui qui retient le plus son attention ; formulation des raisons qui lui ont fait préférer ce poème ; travail sur les représentations du « Poète » dans cette classe, etc.

Dans ce domaine précis, j'espère pouvoir tirer un parti intéressant de la «récitation» poétique, qui fournira l'occasion d'affronter sans ambages le délicat problème de l'accent. À cette évocation les élèves s'affolent, et m'assurent qu'ils «parlent trop mal» pour pouvoir envisager de déclamer des vers en français... Mon idée est pourtant la suivante : d'une part, il est plus aisé d'*imiter*, de reproduire un accent quand on emprunte nommément la voix de l'autre, dans la récitation poétique comme sur la scène de théâtre. Pour un récitant, l'exercice de mémorisation consiste bien à s'approprier le langage, la pensée, les sentiments d'un autre, en vue d'*interpréter* ce langage, cette pensée, ces sentiments, avec les ressources de sa propre voix et de son propre corps. D'autre part, ces élèves lecteurs de poèmes ont la conscience de recevoir un objet d'art; s'ils doivent livrer cet objet par la récitation, ils tiennent à pouvoir faire, à leur tour, «œuvre d'art» – c'est dire qu'ils tendent, déjà, tout simplement, même si le mot a perdu de sa précision, vers une idée de beauté.

Il me semble alors de bonne méthode d'essayer d'exploiter ce statut «mythique» du poème, de susciter la recherche du Beau dans la récitation, d'en faire l'enjeu de notre travail d'expression orale. Notons bien ici que mon propos n'est certes pas, comme on le verra, de guider les élèves vers une récitation *idéale* du poème en français. Au contraire, il s'agit d'amorcer avec eux une *réflexion* critique sur les conventions qui détermineraient cet idéal, selon les critères traditionnels de l'expressivité, de la justesse de ton, de l'intelligibilité, de l'éloquence..., mais aussi selon le critère, majeur pour le sujet qui nous occupe, de l'exactitude de l'accent et de la prononciation du français.

Puisque cette «exactitude de l'accent et de la prononciation du français» fait l'objet d'un fantasme bien ancré dans ce petit groupe d'élèves[13], je leur propose d'observer les modulations du timbre et de la prosodie, dans l'espace et dans le temps. La conscience que plusieurs «accents» du français existent ou ont existé soulève alors la question de la légitimité du modèle : le locuteur non francophone devra-t-il s'efforcer d'imiter une référence absolue ? Peut-il légitimement assumer la relativité des accents ? Voici la démarche que nous suivons pour approcher cette question :

I – OBSERVER L'ÉVOLUTION DE LA «MUSIQUE» D'UNE LANGUE DANS LE TEMPS

1. Écoute de trois enregistrements de discours politiques historiques en anglais. Noter l'évolution des timbres et de la prosodie au fil du siècle.

2. Même observation à partir d'un corpus de trois enregistrements en français.

---

13. Ils sont seize seulement.

II – OBSERVER LES VARIATIONS DE LA « MUSIQUE » D'UNE LANGUE DANS L'ESPACE

1. Exercices d'imitation : le cas très familier de l'accent australien par contraste avec celui de la BBC de Londres et celui du cinéma américain.

2. Exercices d'imitation par les deux élèves francophones de la classe : les accents de France.

3. Écoute d'enregistrements : les accents de la francophonie. Voix d'Afrique[14], de Belgique[15], du Maghreb, voix canadiennes[16] …

4. Prise de sons dans l'école et dans la classe : chaque élève lit le même texte en français avec son accent anglophone. Repérage des constantes typiques de l'accent australien pour la prononciation du français.

5. Dès lors, légitimité ou co-existence de fait de tout accent ? Pourquoi s'efforcer d'imiter un accent ? Réponse des élèves :
• pour être compris,
• pour s'intégrer dans le groupe (francophone, en l'occurrence),
• par jeu, pour entrer dans la peau de l'autre (plaisir de l'imitation parfaite).

III – CHOIX ET MISE EN ŒUVRE D'UNE ACTIVITÉ POÉTIQUE

Ces élèves ont découvert avec un intérêt particulier la prononciation « africaine », et notamment la poésie de L. S. Senghor, prononcée par le poète lui-même[17]. Ils trouvent, à la bibliothèque francophone de l'école, des extraits de deux recueils : *Éthiopiques* et *Lettres d'hivernage*, et s'entendent pour proposer la lecture d'un ou de plusieurs poèmes de Senghor au Printemps des poètes. Ce projet me paraît réjouissant puisque c'est là une sensibilité esthétique qui s'exprime, bien sûr, et puisque la poésie selon Senghor va donner lieu à un travail d'interprétation orale, de « profération », très attentif.

La découverte du monde poétique de l'auteur (l'écriture métissée, le statut de l'oralité en Afrique, l'engagement…) progresse au gré des premiers exercices d'analyse littéraire[18]. Les élèves trouvent beaucoup d'inspiration dans la formule alchimique du poète, pour qui « seul le rythme provoque le court-circuit poétique et transforme le cuivre en or, la parole en verbe », et c'est ensemble que nous organisons le travail en trois étapes :

Premiers exercices de diction rythmique

1. Exercices de lecture : pour un poème donné, chaque élève propose une lecture expressive, puis commente son interprétation orale en s'appuyant sur des

---

14. http://francophonie-up.univ-mrs.fr/les_voix/les_voix_mp3.html
15. http://www.dmnet.be/voix/
16. http://www.radio-canada.ca/radio/emissions/document.asp?docnumero=8017&numero=1354 : table ronde sur les accents dans la francophonie (dernier extrait audio en bas de la page).
17. http://www.radiofrance.fr/parvis/senghor.htm.
18. Les élèves sont en début d'année de « troisième ».

observations ponctuelles ou sur une analyse plus globale. L'auditoire, constitué du reste de la classe, apprécie ces éléments d'analyse, et le débat s'engage, la plupart du temps, autour des hypothèses de lecture : l'interprétation reflète-t-elle les analyses de l'élève lecteur ? Ces analyses semblent-elles satisfaisantes ? Peut-on les enrichir, les compléter, les approfondir, les réfuter ?

2. Dans un deuxième temps, les élèves tentent d'évaluer la qualité purement phonétique de la lecture orale d'un poème en français (le ton, le rythme ont été envisagés auparavant). Ici, les élèves retrouvent notamment les constantes typiques de l'accent australien dégagées au préalable, et se reposent la question du modèle : si l'apprentissage du langage passe par l'imitation, imiteront-ils le français de Senghor, le français du professeur de français, le français du professeur d'histoire ? Alors que chacun essaie de trouver sa propre position, je m'efforce, pour ma part, d'encourager tout effort pour s'approprier le français, pour se pénétrer du choix des mots et rendre justice à ce choix.

3. Pour délier la langue des plus rétifs et des plus timides, nous nous livrons à des exercices de diction rythmique, cadencée, qui ne tiennent aucun compte du sens. De même, si un élève bute sur une syllabe, un mot, c'est souvent qu'il bute sur une séquence de sons tout entière ; je lui demande alors de mimer ou de *danser* ce que disent ces sons. Lorsqu'il s'efforce, ensuite, de dire le poème, il retrouve cette position expressive pour accompagner la séquence de sons problématiques. Certains résultats sont immédiats, mais l'idée mérite d'être approfondie plus rigoureusement, plus systématiquement.

Choix du/des poème/s à préparer pour le Printemps des Poètes

• Les élèves affirment leur prédilection pour le recueil *Lettres d'hivernage*. L'énonciation particulière de la lettre pose des questions qui les intéressent : comment faire entendre une voix intrinsèquement absente ? Comment interpréter l'éloignement ? L'expérience des relations « *overseas* » est tout à fait familière pour ces enfants d'Australie isolés du reste du monde, étrangers souvent au pays de leur famille, rassemblés entre petits expatriés jusqu'au jour où le meilleur ami repart avec ses parents.

• Ils font le choix de réciter à seize voix, alternées comme les « flûtes amébées »[19] du pâtre éthiopien, ces trois poèmes : « Ta lettre sur le drap », « Ta lettre » et « J'aime ta lettre ». À la suite des exercices préparatoires de diction, nous convenons de définir un rythme d'interprétation, et deux élèves préparent même un accompagnement instrumental. Cette nouvelle dimension du travail suscite l'enthousiasme, mais le temps presse et il faudra renoncer, pour cette fois, au didgeridoo.

---

19. « Ta lettre », *Lettres d'hivernage, O. P.*, p. 247.

IV – PRÉSENTATION AU PRINTEMPS DES POÈTES ET BILAN

Les élèves étaient très impressionnés le jour de la manifestation. Certaines voix s'étranglaient et s'empêtraient dans l'émotion, et la qualité de l'installation acoustique était déplorable. Mais le bénéfice de ce premier travail est à trouver dans l'année qui a suivi. Une précieuse connivence a lié ces élèves complexés qui avaient pris à bras-le-corps, ensemble, le problème de la prise de parole dans une langue étrangère. Les timides sont restés timides, mais tous ont fait du chemin vers une expression plus spontanée, plus fluide et plus juste à l'oral.

Il s'agissait avant tout d'une interprétation, d'un geste modestement artistique, qui a mis en valeur des personnalités qui se seraient sans doute moins laissées connaître dans un champ étroitement académique. Instruite par cette première rencontre, je crois avoir posé un regard autrement juste sur chacun de mes élèves tout au long de l'année. Je n'ai cessé, en somme, pour tous les aspects de mon enseignement de la langue, de recueillir les fruits de cette entrée en matière poétique, et de vérifier que rien ne stimule l'entrain et la rigueur comme l'appel à la créativité sait le faire.

P. M. D.

Le poème aux quatre vents du monde

Suite de l'expérience par Catherine Mazauric.

I – PRÉSENTATION DE LA SITUATION PÉDAGOGIQUE ET DES GROUPES-CLASSES

Les étudiants inscrits en deuxième année de Master Professionnel « Apprentissage / Didactique du Français Langue Étrangère et Seconde » au Département de Sciences du Langage de l'université Toulouse Le Mirail suivent tout d'abord, dans le cadre de l'unité d'enseignement *Anthropologie culturelle/Didactique du Texte Littéraire en FLE/S*, quelques séances de formation didactique et pédagogique sous ma direction. Celles-ci sont complétées par des observations de classe, avant qu'ils ne prennent en main eux-mêmes des classes composées d'étudiants allophones. Ceux-ci sont pour leur part inscrits, toujours à l'université Toulouse Le Mirail, au DEFLE (Département d'Enseignement du Français Langue Étrangère). Le groupe choisi pour la classe d'application est un groupe d'Année 3, soit de niveau B1 selon la nomenclature établie par le Cadre européen commun de référence pour l'enseignement des langues. Les langues d'origine de ces étudiants, tout comme leurs nationalités, leurs parcours, leurs profils, leurs projets, voire leurs âges, sont extrêmement diversifiés. Ainsi les nationalités représentées dans ce groupe sont les suivantes : Maroc, Mauritanie, Algérie, Palestine, Japon, Vietnam, Chine, Birmanie, Corée du Sud, Inde, Iran, Russie, Azerbaïdjan, Géorgie, Pologne, Roumanie, Espagne, Irlande, Colombie. Certaines nationalités sont représentées par plusieurs individus (Irlande, Chine), d'autres par deux ou trois (Japon, Maroc, Palestine), d'autres par un seulement (Birmanie, Iran, Colombie par exemple), sans qu'il y ait véritablement de nette prédominance d'un groupe ou d'une langue. La classe, où l'« alchimie » s'est faite très tôt et efficacement, est donc fortement hétérogène de ce point de vue. Elle regroupe également des personnalités très diverses, avec des écarts d'âge importants : le doyen a plus de soixante ans, et on y trouve également une Japonaise d'une quarantaine d'années, ainsi que plusieurs jeunes mères de famille. La plupart cependant ont entre vingt-deux et vingt-cinq ans, soit peu ou prou le même âge que leurs camarades de Master Professionnel. Les niveaux d'études sont également relativement ouverts, bien que la plupart disposent déjà d'une formation supérieure de niveau Licence. Beaucoup sont parallèlement inscrits dans d'autres cursus, notamment de langues (anglais, arabe...), en Licence ou Master 1, mais on trouve également une économiste, une professeure de chant, un chirurgien-dentiste, ou encore un mathématicien... La parité hommes / femmes se trouve à peu près – et fortuitement – respectée dans le groupe, également équilibré de ce point de vue.

L'enseignement en Français Langue Étrangère est organisé sur la base de deux semestres annuels, et comporte, outre un volet, évidement le plus important, de formation linguistique et communicative (dans les « quatre compétences »), des prolongements culturels et littéraires. Ainsi l'unité d'enseignement de vingt-cinq heures suivie ici par ces étudiants a-t-elle pour intitulé *Initiation aux textes littéraires*. Son objectif premier consiste dans le développement de la compétence lectorale des apprenants, à travers leur familiarisation avec des genres et des types textuels variés, l'accent étant mis, afin de favoriser leur accès à un univers culturel parfois fort éloigné du leur, sur des formes courtes et des genres de discours proches des discours ordinaires : nouvelles et récits courts, romans épistolaires et récits biographiques, mais aussi contes fantastiques et poèmes. En effet, l'expérience a montré – et montrera encore – que ces genres *a priori* plus savants sont en réalité plus facilement appropriés, parfois, du fait de leur étrangeté radicale à un univers quotidien qui ne l'est que pour les autochtones, que des récits considérés comme familiers. Ainsi les vignettes de Philippe Delerm, très prisées des étudiants français de Maîtrise et de Master, qui y trouvent les voies immédiates d'une identification fallacieuse pour un enseignant de Français Langue Étrangère, car elles ne concernent qu'eux seuls sur le registre de la connivence, n'ont-elles rencontré, au cours des années précédentes, qu'un écho très faible chez les étudiants étrangers... À travers la lecture de textes choisis pour leur diversité même, les étudiants d'année 3 apprennent donc, tout en acquérant un certain nombre de savoirs, à adapter rythmes et régimes de lecture et à développer des hypothèses interprétatives. En prolongeant leurs lectures par des activités écrites et orales, ils s'investissent surtout progressivement dans une langue qui peu à peu, à travers le verbe littéraire comme au fil de la pratique quotidienne, devient leur.

J'ai donc, avec chacun de ces deux groupes, à poursuivre des objectifs de formation à un double niveau : l'un proprement didactique, où il s'agit de préparer les étudiants du Master à une pratique professionnelle en Français Langue Étrangère, tout en favorisant l'installation, au sein de ces pratiques, d'une distance réflexive qui leur donnera sens, et qui, à travers l'objectivation permise, fera qu'elles soient sans cesse infléchies selon les situations rencontrées, les besoins identifiés, les objectifs poursuivis, et l'autre de formation en langue-culture pour des étudiants allophones, apprenant le français à l'Université afin de garantir la réussite d'un projet d'études et / ou d'un projet professionnel. Ajoutons qu'ici on écrirait volontiers *langue-cultures*, s'agissant d'une langue qui a tout à gagner à substituer, à une vision hégémonique, une vision participante garante d'une diversité culturelle authentique en son sein. Chaque étudiant de Master qui prend en charge une classe de FLE – les séquences sont prévues pour une durée d'une heure et demie environ, la demi-heure restante étant consacrée au *feed-back* de la séance – a toute latitude pour choisir le texte sur lequel il souhaite travailler, étant entendu qu'il se situe dans la perspective du programme qui a été remis et commenté, et que je conserve un droit de regard et de rectification sur ce choix qui, très généralement, ne soulève pas de difficultés. En outre, compte tenu de la durée réduite d'un semestre universitaire et du nombre élevé d'inscrits, ces mêmes étudiants de Master ont la possibilité de concevoir et de réaliser une séquence en tandem. C'est une situation de classe qu'ils n'auront à retrouver que de manière très exceptionnelle au cours de leur pratique professionnelle, mais qui leur permet généralement de prendre confiance en divisant par deux le poids de responsabilité et de trac qui pèse sur les épaules de chacun, et de favoriser, là encore, grâce au dialogue entre pairs ainsi instauré, un retour réflexif sur les hypothèses émises, les pistes suivies, les situations observées.

II – DÉROULEMENT DE LA CLASSE

Il est tout d'abord envisagé que Perrine Minvielle-Debat réitère, auprès des étudiants de FLE et dans le cadre de la classe d'application du Master «Apprentissage / Didactique du FLE/S», l'expérience conduite naguère auprès d'élèves australiens, puis que cette séquence soit prolongée d'une autre, également consacrée aux poèmes de Senghor, par des étudiants relevant du Master. Malheureusement, faute de temps, le premier temps de ce projet ne peut être réalisé, et c'est finalement le second uniquement qui est mis en place. Catherine Baudel et Camille Saglio parcourent l'*Œuvre poétique*, afin d'y choisir le poème sur lequel ils souhaitent travailler. Leur choix se porte sur «Vacances»[20], sans qu'ils puissent d'ailleurs *a posteriori* expliciter les raisons de cette sélection, qu'ils qualifient de «tout à fait subjective et informelle». On peut supposer que les enseignants de FLE en devenir qu'ils sont ont été sollicités par ce titre, renvoyant à la vie quotidienne et à un aspect valorisé de notre actuelle civilisation des loisirs... alors que l'étymologie, toujours insistante chez le latiniste qu'est Senghor, fait aussi d'emblée entendre le vide de l'«absence longue à [son] cœur», redoublant et prolongeant le «sombre couloir de trois semestres captifs» subi peu de temps avant. On relève également que, tout comme les jeunes élèves australiens, puis les lycéens toulousains, leur goût spontané les porte vers un versant de la poésie senghorienne plus lyrique, élégiaque et intime, voire intimiste, que celui, davantage traversé de flamboyance et d'idéologie, qui est d'ordinaire privilégié par la tradition scolaire, au moins en Afrique subsaharienne.

Ils ont choisi de distribuer le texte du poème, accompagné d'une petite biographie de Léopold Sédar Senghor, longue d'une demi-page environ, une semaine à l'avance aux apprenants. Leur propos n'est donc pas de reproduire, en classe, les étapes de la pré-lecture et de la lecture, de la découverte initiale à l'approfondissement en passant par une approche globale. En effet, la présence, au sein du groupe, d'une proportion significative d'étudiants asiatiques, chinois notamment, dont les habitudes d'apprentissage divergent assez fortement de celles d'apprenants issus d'autres cultures (européennes ou latino-américaines par exemple), a conduit à adopter cette stratégie, qui en l'occurrence bénéficie à tous, d'autant que le poème, même pour un francophone natif, ne fait pas partie de ceux qu'on peut estimer instantanément «lisibles». Plutôt que d'être amenés à réagir de manière immédiate aux sollicitations croisées du texte et de l'enseignant, ces apprenants sont en effet confortés dans leurs démarches cognitives, par la possibilité qui leur est offerte de prendre connaissance à l'avance du poème à lire et des informations qui leur sont fournies, au rythme qui leur convient et à tête reposée.

---

20. *Chants d'ombre, O. P.,* p. 42.

Ils se révèleront par la suite beaucoup plus actifs en classe, à présent qu'ils auront le sentiment d'avoir apprivoisé les principales difficultés du texte, que si on les y avait confrontés sans préparation, sous le regard des autres, et pour ainsi dire brutalement[21].

La séance proprement dite est divisée en quatre parties :
• premiers éléments de compréhension et d'interprétation,
• travail d'approfondissement en sous-groupes,
• exploitation des éléments découverts par chaque sous-groupe,
• mise en voix selon la technique du chœur parlé.

1. Démarche d'appropriation par la compréhension et l'interprétation

La première séquence de classe est menée collectivement, à l'oral. Elle est inaugurée de manière très classique par la lecture à haute voix du poème par l'un des deux enseignants du jour. On s'attache d'abord au titre, et aux différentes définitions connues du mot « vacance(s) ». Outre les vacances scolaires et universitaires, bien connues de tous, on découvre que la *vacance* renvoie aussi au vide et à l'absence. Les apprenants formulent des hypothèses sur le(s) sens à accorder à ce titre, avec un vocabulaire très en prise sur les préoccupations de l'époque : « liberté de gérer le temps personnel » pour l'une, « recherche d'un espace meilleur que celui du travail » pour une autre, « je pense qu'il retourne dans son pays pour trois mois », suppose un autre. Un autre encore – il s'agit d'un réfugié politique – suppose que ces « vacances » correspondent au temps où le poète est demeuré « en prison ». Sont alors précisés des éléments biographiques, en rapport avec la période de captivité vécue par le poète pendant la Seconde Guerre mondiale. On observe la mise en place de la scène d'énonciation à partir des trois premiers versets : à une « vacance » première et actuelle, celle, d'une durée de trois mois, de l'absence de l'Aimée (v. l. 26), s'en superpose une autre, remémorée, dont le souvenir douloureux envahit un temps le poème – celle qui correspond au « sombre couloir de trois semestres captifs » au cours duquel, déjà, le poète a été sevré de la présence de l'Aimée.

2. Travail d'approfondissement en sous-groupes

La seconde phase démarre peu après, et cette fois la classe est organisée en quatre sous-groupes, comportant un rapporteur, volontaire ou désigné par ses camarades. Un membre du groupe est également chargé de minuter l'activité, de manière à mener à bien les tâches indiquées en une vingtaine de minutes. Le travail se fait à la fois à l'écrit et à l'oral. À chaque sous-groupe est attribuée une partie du poème, sans que ce découpage, voulu par C. Saglio et C. Baudel, ait fait

---

21. *Cf.* Robert Jean-Michel, « Sensibilisation au public asiatique – L'exemple chinois », et Bouvier Béatrice, « Apprenants sinophones et place de la parole en classe de FLE », *Études de Linguistique Appliquée* n° 126, avril-juin 2002, *Enseignement / Apprentissage du français langue étrangère et public asiatique*, pp. 135-143 et 190-199.

l'objet d'une quelconque observation de la part des apprenants, sans non plus que la notion de *verset* ait été découverte et rapprochée de celle, déjà connue, de *vers*[22] :

- groupe 1 : l.1 à 10 ;
- groupe 2 : l.11 à 17 ;
- groupe 3 : l.18 à 23 ;
- groupe 4 : l. 24 à 29.

Chaque groupe doit relire en détail la partie qui lui a été attribuée pour :
- faire le relevé des différents champs lexicaux qu'il y décèle,
- dire quels sentiments ce passage éveille dans le groupe,
- lui attribuer un sous-titre, dont le choix sera explicité.

Une grille à remplir à l'écrit est fournie à chaque sous-groupe. À ce stade, il est vrai, la perplexité de la formatrice embusquée au fond de la salle est grande : face à un poème aussi riche et complexe, le guidage par les enseignants lui paraît insuffisant, et elle doute des résultats qu'apportera le travail en sous-groupes, d'autant qu'on peut craindre de nombreuses redondances d'un sous-groupe à l'autre.

3. Mise en commun

Cependant les apprenants se mettent activement à la tâche, solidement épaulés par les deux enseignants qui fournissent à la demande les explications nécessaires (par exemple à propos de ce que sont l'hivernage ou le *sik* triomphal). Lors de la mise en commun, de nombreuses correspondances apparaissent en effet : tous les sous-groupes ont mis en évidence l'omniprésence du champ lexical de la *nature*. Les deux premiers ont relevé celui du *temps*. Puis on trouve le corps et les *sens*, la *musique*, les *couleurs*, l'*espace*, et enfin, ce qui constitue une mésinterprétation[23], probablement à partir de la mention du « Paradis perdu » et de l'athlète qui « se sent un dieu », la *religion*. Le croisement des travaux des différents sous-groupes met également en évidence, ce qui d'ailleurs correspondait à une nécessité, la continuité entre les différentes « parties » du poème très arbitrairement et artificiellement délimitées : mots récurrents d'une part (soleil, visage...), jeu d'oppositions binaires d'autre part (ombre et lumière, dedans et dehors, Europe et Afrique...). L'expression des sentiments que les passages analysés font naître chez les lecteurs relève d'une axiologie similaire : tristesse, nostalgie, solitude et regrets d'un côté, joie et amour triomphant de l'autre. Ce système d'oppositions est évidemment conforté par celle des temps verbaux. Au présent de la

---

22. Rappelons que cette dernière, si elle va de soi pour des natifs, n'a rien de familier pour des apprenants relevant de langues-cultures à degré élevé de xénité, utilisant, notamment, un système graphique très différent du nôtre, et pratiquant la poésie, orale et / ou écrite, selon des conceptions également différentes.

23. Toute relative si l'on se souvient de la permanence, à travers l'œuvre senghorien, du thème religieux.

vacance se superposent le plus-que-parfait et l'imparfait d'une viduité plus longue et douloureuse encore, et s'opposent les futurs triomphaux qui ferment le poème sur la calme certitude, conquise au présent, de l'athlète divinisé. Ce mouvement du poème, de l'ombre à la lumière, de la vacance à la plénitude attendue, est clairement mis en évidence par les apprenants à travers les sous-titres successifs qu'ils ont choisis : « Cette sombre mémoire » – « Mes souvenirs » – « La joie prisonnière » – « Espoirs ».

4. Mise en voix

La mise en voix est préparée par deux activités successives :

• Avec l'ensemble du groupe-classe, à l'écrit puis à l'oral, on relève les lignes où apparaît la deuxième personne du singulier (« tu », « toi », « ton silence »...). On marque les vers correspondants d'une croix, et l'on formule des hypothèses sur l'identité de celle à qui le poète s'adresse (« Toi la flûte lointaine », « mon Aimée ») : la femme aimée, ou l'Afrique personnifiée, telles sont les interprétations qui sont proposées.

• Puis on propose aux apprenants d'écouter trois morceaux de musique, en leur donnant de nouveau un tableau à remplir, où ils porteront les indications de leur choix concernant le rythme du morceau, et les sentiments qu'il fait naître en eux.

Les trois morceaux ont été présélectionnés par C. Saglio et C. Baudel. Il s'agit d'*Après la pluie*, du groupe Jerez Texas, de *The three of us*, de Ben Harper, et de *Mother Africa*, de Ravi. Mis à part le troisième, qui comporte de la kora, aucun de ces morceaux – tous à base de cordes – ne sonne particulièrement « africain », ce qui ne trouble pas outre mesure les apprenants. Chacun d'entre eux donne son choix et tente d'en expliquer les motifs, puis l'on passe au vote, et c'est le premier morceau, de Jerez Texas, qui est préféré. Il évoque, selon les apprenants, le mélange paradoxal de joie et de mélancolie qu'ils ont perçu dans le poème.

Les apprenants sont alors disposés en cercle, avec la consigne suivante : les versets marqués d'une croix (ceux où apparaît la deuxième personne) sont dits en chœur par l'ensemble du groupe, les autres sont lus par une seule personne, qui prend la parole au fur et à mesure, dans le sens des aiguilles d'une montre. Le chœur parlé tend ainsi à reproduire la forme responsoriale particulièrement usitée dans nombre de chants du continent africain, tout en faisant entendre la diversité de ce groupe arc-en-ciel. On procède d'abord à des répétitions individuelles, puis à deux répétitions collectives, avant que le morceau ne soit diffusé en fond sonore pendant la lecture. Toutefois, ces apprenants dont les langues premières sont extrêmement diverses éprouvent le plus grand mal à prononcer le texte de façon synchrone. Le temps imparti pour la séance s'achevant, il n'est pas possible de se livrer à un travail plus approfondi sur la prosodie, qui aurait cependant été nécessaire pour asseoir la diction sur des accents rythmiques clairement repérés. Sans doute aussi le choix d'un accompagnement musical au rythme plus aisément identifiable aurait-il facilité les choses. La difficulté est encore redoublée lors des enregistrements, réalisés en studio, auxquels participent une petite dizaine d'étudiantes et d'étudiants, dont la venue au studio est étalée sur trois jours. Chaque personne est en effet enregistrée individuellement et isolément, sans aucun support ni appui quelconque, et se focalise alors sur la prononciation, au détriment du rythme qui pourrait porter l'ensemble.

Si l'expérience s'avère ainsi très positive quant à l'appropriation du poème par les apprenants, qui ont tous manifesté, auprès de la formatrice, le plaisir et l'intérêt qu'ils avaient pris à travailler de la sorte, il apparaît nécessaire de consacrer plus de temps, soit environ deux séances de deux heures, à la mise en voix du poème, dès lors qu'on a affaire, comme c'était le cas, à un groupe fortement hétérogène quant aux langues-cultures d'origine. Tandis que la première séance peut se dérouler selon un schéma analogue à celui qui vient d'être exposé, la deuxième devrait être entièrement consacrée à la mise en place rythmique et vocale, préparée par des exercices adéquats de phonétique et de prosodie, ainsi que par d'autres, visant à une détente corporelle optimale, du type de ceux que pratiquent comédiens et chanteurs. Un cheminement tel que celui élaboré en Australie par Perrine Minvielle-Debat apparaît indispensable, mais le rythme universitaire n'a pas permis de l'envisager.

« Le poème fait transparentes toutes choses rythmées »[24]

À en croire Lilyan Kesteloot, la poétique senghorienne se serait pour une part placée sous la nette influence de celle des troubadours, qu'il s'agisse de la conception de l'amour courtois, ou surtout de la rythmique, qui, tout en marquant sa régularité, s'avèrerait bien moins «mécanique», jusque dans l'usage par les troubadours de l'octosyllabe lyrique ou du décasyllabe de la canso, que la scansion du vers classique[25]. La rencontre, en terre d'Occitanie, de l'œuvre poétique de Senghor avec des lycéens toulousains ne constituerait ainsi que des retrouvailles, d'autant qu'elle se fait sous le signe de la musique, et de l'alliance du chant lyrique et de l'instrumentation orchestrale.

Bernard Lazare enseigne dans une classe de terminale *techniques de la Musique et de la Danse* (ex-section F11) au lycée Saint-Sernin, vénérable et prestigieux établissement toulousain, situé au pied de la basilique célébrée par un autre poète, Claude Nougaro. Les élèves, au nombre d'une quinzaine, musiciennes, musiciens et danseuses, ont passé les épreuves anticipées de français du baccalauréat l'année précédente. Ils suivent avec Bernard Lazare des enseignements dits de culture et d'expression, et, parallèlement à leurs cours de classe terminale, une formation artistique de haut niveau au Conservatoire national de musique de Toulouse, où ils préparent des concours. Malgré un emploi du temps scolaire particulièrement et doublement chargé, malgré la surcharge entraînée par des activités marquant un début de professionnalisation (ainsi des concerts à donner ici ou là à travers la région, assortis des répétitions qui doivent évidemment les précéder), et les difficultés qu'ils rencontrent à coordonner, en dehors du temps scolaire, leurs activités de groupe, les lycéens manifestent un engagement tout à fait remarquable dans le projet mis en place par leur professeur. À cet engagement, on peut trouver trois soutiens probables : le fait qu'ils adoptent d'ores et déjà une attitude professionnelle d'artistes, et non de lycéens «ordinaires», parfois précocement blasés, le dynamisme et le charisme de leur professeur, et enfin, la magie du verbe senghorien, agissant une fois encore...

I – PRÉSENTATION DE LA SÉQUENCE DIDACTIQUE

Il s'agit cette fois, non d'une séance unique, mais d'une séquence didactique au sens plein du terme, telle que l'autorise le rythme scolaire et l'encourage l'institution, construite sur plusieurs séances et plusieurs semaines, les plages horaires réservées à l'enseignement de culture et expression étant limitées, pour

---

24. «Élégie des eaux», *Nocturnes, O. P.*, p. 208.
25. Kesteloot Lilyan, *Comprendre les poèmes de L. S. Senghor*, Dakar, Éditions Saint-Paul, Les Classiques africains, 1986, p. 74.

cette section de terminale, au nombre de deux séances hebdomadaires. La démarche adoptée par Bernard Lazare comporte les étapes suivantes :
- une phase de lecture-découverte,
- une phase d'analyse collective,
- une phase de production.

Une douzaine de poèmes de Senghor sont d'abord sélectionnés par les soins de l'enseignant, qui les présente sous forme de montage. Puis les élèves à leur tour se saisissent de l'ensemble de l'œuvre, qu'ils parcourent afin d'y choisir eux-mêmes des poèmes. Là comme à Canberra et au Mirail, on observe que nombre de textes finalement retenus ne figurent pas dans le canon senghorien généralement privilégié dans l'institution scolaire.

Cette phase de découverte et de lecture intensive est suivie d'un temps d'analyse collective. Il s'agit pour le groupe-classe, guidé par l'enseignant, de s'attacher à la pratique d'écriture, aux choix thématiques et techniques de rythme, de sonorités, de ponctuation expressive, en lien avec les spécificités d'une poétique négro-africaine forgée en grande partie par l'auteur. Parallèlement, les élèves poursuivent des recherches documentaires : ils prennent connaissance d'un ensemble de textes critiques de Senghor lui-même, portant sur différents aspects de son écriture, ils surfent sur Internet afin d'y écouter, puis d'analyser, des enregistrements de la voix du poète président lisant ses propres poèmes. Puis l'on passe aux réalisations.

II – LES PRODUCTIONS VOCALES ET MUSICALES

Les élèves se réunissent en petits groupes d'affinités (de deux à quatre en moyenne). Les réalisations qu'ils élaborent progressivement et qu'ils proposent à leur professeur sont de deux ordres : soit à voix seules (c'est notamment, pour des raisons évidentes, le choix des danseuses), soit comportant une partie vocale et une partie instrumentale (une production s'avèrera finalement exclusivement instrumentale). Des partitions originales sont ainsi composées puis créées par les élèves. Les productions se fondent au total sur huit poèmes ou extraits, certains élèves n'hésitant pas à participer à plus d'une réalisation :
- « In memoriam » (Chants d'ombre) : violon, piano, accordéon et voix (Candice Blanchot, Mélanie Cazcarra et Maïlis Boué) ;
- « Prière aux masques » (Chants d'ombre) : timbales et percussions, voix (Joris Vidal, Élie Duris, Sébastien Gisbert) ;
- « Bec inutile » (Éthiopiques, D'autres chants) : saxophone alto, basson, trompette, piano et voix (Pierre Cidar, Maïlis Boué, Eva Barthas, Clément Format-ché) ;
- « Perceur de tam-tam » (Poèmes divers) : tuba, batterie et percussions (Joris Vidal, Elie Duris, Sébastien Gisbert) ;
- « Jardin de France » (Poèmes divers) : à trois voix (Clémentine Bernard, Tania Alaverdov, Camille Fitan) ;

93

• « Que fais-tu ? » (Lettres d'hivernage) : à deux voix (Sarah Mussat, Sandra Erhard) ;

• « Élégie des Alizés, « Ce juillet, cinq ans de silence... lorsque tout dort à l'abri des éclairs. » : trombone, percussions, voix (Aymeric Fournès, Camille Fitan, Sébastien Gisbert) ;

• « Élégie des Alizés », « Vienne le soir... O Nuit ma Nuit et Nuit non nuit !... » (Élégies majeures) : flûte et voix (Julien Vern, Joris Vidal).

Toutefois d'autres pièces ont également été travaillées, sans être mises en œuvre jusqu'au bout, faute de disponibilités suffisantes de la part des élèves concernés (c'est notamment le cas de « Je m'imagine » ou « Rêve de jeune fille »[26]).

Les élèves éprouvent également quelque difficulté à expliciter les fondements de leurs choix. Les rares commentaires à ce propos qu'ils délivrent font cependant apparaître qu'ils privilégient l'émotion : ainsi « In memoriam » est-il qualifié d'« extrêmement poignant » par une élève. Sa camarade estime pour sa part que la plus grande cohérence du poème (« c'est un des seuls où c'est lié ») a facilité sa compréhension, critère déterminant de sélection pour elle.

Cependant l'inclination éprouvée par les uns et les autres transparaît bien davantage à travers les réalisations vocales et musicales auxquelles ils se livrent : percussion obsédante d'une Afrique perçue au crible des représentations qui en font le continent du rythme pour « Prière aux masques », fraîcheur d'une interprétation dépouillée, à deux voix, de « Que fais-tu ? » par exemple. Au fil des séances, les élèves se réunissent en petits groupes, dans un coin de salle ou un espace spécialement aménagé, pour répéter les pièces qu'ils ont composées et en enrichir les partitions. Certains répètent leur texte, d'autres leur musique, parfois les deux. Le professeur insiste sur la nécessaire mémorisation du texte, afin que celui-ci soit véritablement approprié et incorporé avant d'être restitué, redonné, offert à nouveau aux auditeurs. À deux jeunes filles encore timides dans leur récitation, il lance lors d'une répétition : « Même si vous ne le faites pas correctement, je veux une intention. » Quelques élèves émettent le souhait de travailler les aspects prosodiques avec l'enseignant, afin que les accents rythmiques soient correctement placés avant l'insertion de la musique. Plus tard, Isabelle Péguilhan procède à l'écoute de chacune des compositions, retravaillant patiemment avec les petits groupes la pertinence d'une citation, tentant de faire renoncer à l'évidence d'une illustration, pour aller vers une plus grande originalité.

Certaines productions sont encore en gestation quand d'autres « tournent » déjà avec autorité. Ainsi les trois garçons qui ont choisi « Prière aux masques »[27] n'en ont-ils conservé que quelques versets, parfois incomplets : « Masques ! Ô Masques ! », « Masque noir masque rouge, vous masques blanc-et-noir », « Je vous salue dans le silence ! », « aux visages sans masque, dépouillés de toute fossette comme de toute ride », « À votre image, écoutez-moi ! », « Voici que meurt l'Afrique des empires – c'est l'agonie d'une princesse pitoyable », « Fixez vos yeux

26. *Poèmes divers*, *O. P.*, p. 220.
27. *O. P*, p. 23.

immuables sur vos enfants que l'on commande ». Ils n'ont pas hésité à déstructurer en partie le tissu syntagmatique du poème (par exemple en ne retenant que le rejet dans le couple de versets « Qui avez composé ce portrait, ce visage mien penché sur l'autel de papier blanc / *À votre image, écoutez-moi !* »), pour n'en laisser que l'os, le battement sourd qui s'empare en maître du champ sonore, et sur lequel glissent des fragments plus éclatants, transformés en insistantes virelangues. L'intention est ici particulièrement parlante, et illustre ce propos de Lilyan Kesteloot : « À doses intensives, écrit cette dernière, cette poésie agit en profondeur sur le système nerveux[28]. » La partition est structurée en trois niveaux : une « tourne pilier » appuyée sur le *surdo*, et l'incantation première, obstinément réitérée (« Masques Ô Masques »); une « tourne secondaire » reprenant le second verset, et des « riffs » formant le chant polyrythmique. Sur d'autres pièces, les jeunes musiciens ont incorporé qui une mélodie de Debussy, qui une citation de Khatchatourian, pratiquant le tissage des genres et le « rendez-vous du donner et du recevoir » auquel musique et musiciens se sont de tout temps portés avec évidence.

En échantillonnant (un rappeur pourrait dire : en « samplant ») ainsi sans vergogne poèmes et morceaux, ces jeunes artistes cependant très respectueux du patrimoine qu'ils s'approprient offrent à ce dernier une vie nouvelle, que Senghor lui-même n'eût probablement pas reniée. Ils concluent ainsi exemplairement, devenus créateurs, ces trajets de lecteurs sur les ailes rythmées du poème.

C. M.

---

28. *Op. cit.*, p. 119.

Compte rendu commenté d'une séance de classe consacrée au poème « *Élégie de Carthage* »

Afifa MARZOUKI
Université de Manouba, Tunisie
Docteur de troisième cycle de l'université de Tunis et docteur d'État de l'université de Montpellier. Professeur de littérature française et francophone à la faculté des Lettres, des Arts et des Humanités de l'université de Manouba en Tunisie et spécialiste de poésie, de poétique et de littérature féminine, elle est également auteur de trois ouvrages sur la littérature française du XIXe siècle, de manuels scolaires, d'éditions critiques...

États des lieux

Senghor ne figurant pas, cette année, aux programmes des départements de français des universités tunisiennes, nous avons choisi, mon collègue Zinelabidine Benaïssa et moi, respectivement professeur de langue et de versification et professeur de poésie contemporaine à l'université de Manouba, en Tunisie, de travailler avec un groupe d'étudiants de l'Institut préparatoire aux études littéraires et de sciences humaines de l'université de Tunis n'ayant pas étudié sa poésie auparavant.

Afin que la séance visée ne soit pas perçue comme une contrainte par les étudiants et que les étudiants présents participent effectivement à cette séance, nous avons opté pour le volontariat conséquemment à une présentation, en classe de deuxième année, de la séance visée et de ses objectifs.

Les étudiantes qui se sont portées volontaires étaient une dizaine sur une classe de vingt-cinq, ce nombre restreint s'expliquant aussi bien par l'intérêt médiocre accordé à une activité non sanctionnée par un examen et à un écrivain qui n'est pas au programme que par la contrainte matérielle qui nous imposait de programmer le cours et son enregistrement pendant les vacances scolaires mais également par une contrainte technique, le studio d'enregistrement ne permettant pas d'accueillir plus de douze personnes (les étudiants et deux enseignants).

La séance, là encore pour ne pas nuire à la spontanéité des réactions des participants, n'a pas été préparée préalablement à l'enregistrement et n'a pas non plus été interrompue durant cet enregistrement. Nous nous étions contentés de distribuer le poème et d'indiquer que le travail en classe porterait sur son rythme et sa musicalité. Nous avons tout de même pu observer que, ayant reçu à l'avance le poème auquel la séance devait être consacrée, certaines étudiantes s'étaient documentées sur Senghor, notamment sur sa conception de la poésie et que d'autres avaient lu le texte attentivement et y avaient noté un certain nombre de constantes et de caractéristiques rythmiques.

Le groupe de volontaires était formé exclusivement de jeunes filles parce qu'en Tunisie, les études de lettres et de langues et, plus particulièrement, les études de français sont suivies par des filles à une majorité écrasante et n'aboutissent, en général, qu'à des carrières d'enseignement. Les jeunes gens sont plus nombreux dans les filières scientifiques et techniques aux débouchés plus lucratifs et, même quand ils font des études de lettres, ils s'orientent plus volontiers vers l'arabe ou d'autres langues étrangères, l'anglais notamment, soit parce qu'ils croient y trouver plus d'opportunités d'embauche et de perspectives d'avenir que les études de français soit parce qu'ils sont découragés par les exigences de la Maîtrise de français à l'université tunisienne, le français y fonctionnant comme une langue seconde et non comme une langue étrangère c'est-à-dire s'inscrivant dans une tradition d'enseignement littéraire mettant à la fois l'accent sur la langue et la culture françaises.

Parmi les facteurs qui ont motivé la volonté de participer à cette séance, on peut noter, outre la perspective d'un enregistrement appelé à être diffusé auprès d'un large public francophone et partant la participation à un projet international impliquant des élèves et des étudiants d'autres pays francophones avec lesquels s'instaurerait une sorte de dialogue à distance autour de l'œuvre de Senghor, le désir manifesté par ces étudiantes de se confronter à une expérience nouvelle et de montrer leur savoir-faire (on notera que la plupart font partie du club de théâtre amateur de leur institut). Mais cette ouverture d'esprit et cet intérêt pour la nouveauté n'impliquent pas forcément l'excellence. Le petit groupe présentait des niveaux inégaux et nous avons même noté que certaines étudiantes très présentes et très attentives n'avaient guère participé à la discussion. À quelques exceptions près, seul un groupe de tête a pris en charge la séance et son animation, le groupe d'étudiantes qui ont le plus d'aisance à l'oral et partant les qualités requises pour une bonne participation.

Notons que ce public étant en début de scolarité universitaire, c'est-à-dire en cours de deuxième année, année à l'issue de laquelle ces étudiantes passeront le concours de l'École normale supérieure avec l'objectif de se présenter plus tard au concours de l'Agrégation de langue et littérature françaises, elles n'ont, dans leur parcours initial – sauf exception due à un enseignant du secondaire féru de cette littérature –, jamais étudié la littérature francophone qui n'intervient, en maîtrise, plutôt comme matière optionnelle, qu'en troisième année. Leur enseignement est exclusivement centré sur la littérature française et dans le cas parti-

culier de l'institut auquel elles appartiennent, avec une forte composante métho-
dologique. Nous verrons que cette caractéristique, loin de constituer un handicap
pour notre projet, fut l'un des leviers sur lesquels notre séance s'était appuyée.

Nous ajouterons, pour finir, que la plupart de ces étudiantes, prenant leur
travail très au sérieux, étaient gênées par la proximité du rendez-vous de la séance
et auraient préféré, de loin, avoir du temps devant elles pour se documenter plus
longuement sur Senghor et préparer une lecture détaillée du poème. Là encore, ce
manque de préparation convenait à nos objectifs.

Objectifs et choix méthodologiques de la séance

Notre séance devant servir d'exemple dans le cadre d'un ensemble pédagogique consacré à l'œuvre de Senghor et particulièrement centré sur le rythme et
la musique dans cette œuvre, notre objectif principal était, en effet, d'amener les
étudiantes à réfléchir à cette question et à tenter d'identifier dans le poème ce qui
est spécifique à l'œuvre de Senghor de ce point de vue. Une confrontation directe,
presque sans intermédiaire didactique, sans savoir fourni sur l'œuvre par l'enseignant, sans béquilles en quelque sorte, nous semblait de nature à favoriser ce
questionnement et à susciter des réactions plus ou moins spontanées devant la
nouveauté du texte. Du reste, durant le cours, les étudiantes, à de nombreuses
reprises, ont eu tendance à confronter deux moments dans leurs réactions par rapport au texte : un moment d'incompréhension ou d'interrogations et un moment
d'«apprivoisement», d'adhésion.

Nous comptions également, pour donner de l'intérêt à cet exercice gratuit
puisque non sanctionné dans le parcours universitaire des étudiants, sur le sujet
même du poème choisi, «Élégie de Carthage», pièce des Élégies majeures, écrite
en 1975, en hommage à la Tunisie indépendante et à son leader politique de
l'époque, Habib Bourguiba, compagnon de Senghor dans la fondation du mouvement francophone. Il est clair en effet, qu'un poème sur la Tunisie, consacré à
l'histoire légendaire de notre pays ainsi qu'aux héros majeurs de cette histoire,
Didon, la fondatrice de Carthage, Hannibal qui a traversé les Alpes et fait trembler
Rome, Jugurtha, symbole de la résistance à l'envahisseur, pour le passé, et Bourguiba, le libérateur charismatique, pour le présent (qui est plutôt un passé proche
pour les étudiantes en question, ayant toutes autour de vingt ans et n'ayant donc
pas connu l'ère bourguibienne) ne pouvait qu'interpeller ces apprenantes puisqu'il
met en scène les éléments familiers de la mémoire collective tunisienne. Ainsi,
l'intérêt que Senghor manifeste, dans le poème, pour la Tunisie, devenait un motif
d'intérêt pour les apprenantes. Dans une Tunisie plurielle, consciente que l'africanité est l'une de ses composantes, la réactivation, par le poème, des figures
mythiques de la mémoire collective du pays, comme exemple et modèle de héros
africains, devenait en quelque sorte un atout pour notre projet.

Si le poème, dans sa globalité et particulièrement son rythme, pouvait en
effet, dans un premier temps, apparaître un peu abscons ou étranger à ces étu-

diantes, plusieurs éléments qui le composent, du fait même du sujet qu'il traite et du paysage historique et géographique qu'il campe, étant très familiers à ces étudiantes (c'est, par exemple, le cas du «palais de marbre maure asymétrique», le palais présidentiel, dit «palais de Carthage», les instruments de musique « *tar, darbouka, oud, quanoun* » dont elles perçoivent immédiatement la signification, contrairement aux autres lecteurs) constituaient une opportunité dont nous avons voulu nous servir.

Un autre intérêt qu'offrait le choix de ce poème résidait pour nous dans la spécification donnée par Senghor, au-dessous du titre et de la dédicace à Bourguiba : «(pour orchestre maghrébin avec *komenjah, rebab, naï, oud, quanoun,* sans oublier *tar* ni *darbouka*)». Voulant en effet faire travailler des étudiantes tunisiennes sur le rythme et la musique dans l'œuvre de Senghor, il nous était plus facile, pour leur faire appréhender la spécificité du travail de ce poète sur le rythme et sa tendance à composer ses textes en référence à une musique, des instruments et un univers sonore africains, de leur demander de réfléchir à partir d'un texte composé en référence à la musique arabe et à ses instruments, c'est-à-dire à la culture musicale dans laquelle ces étudiants baignent au quotidien. Nous estimions qu'une telle clé pouvait leur permettre d'aborder plus tard, avec une perception plus pertinente et de réelles chances d'entrer dans la vérité poétique des textes, les autres poèmes de Senghor. Il faut noter, en effet, qu'à la notable exception de musiques venues d'Afrique subsaharienne et perpétuées dans certaines enclaves à fortes composantes noires, comme le «stambali» ou les percussions métalliques du personnage folklorique qu'est «Boussaadia», les Tunisiens n'ont pas plus de familiarité avec la musique traditionnelle noire-africaine que les Français ou les Belges.

Enfin, notre but étant de travailler spécifiquement sur le rythme, nous avons choisi de ne pas nous intéresser aux problèmes particuliers d'interprétation au niveau des détails et d'essayer de faire porter toute l'attention des étudiants, plus que sur les mots en tant qu'unités sémantiques, sur le corps phonique de ces mots et leur substance sonore, ceci n'excluant pas, autant que de besoin, de relier les observations faites sur le rythme, la métrique, les sonorités, à ce que dit le texte et au message qu'il véhicule. Mais c'est plus le rythme que la signification qui nous a préoccupés.

Déroulement de la séance

La séance proprement dite, après une courte présentation mettant l'accent sur la focalisation souhaitée sur la spécificité rythmique et la musicalité du poème et appelant les étudiantes à réagir librement et spontanément, les enseignants désirant se contenter d'un rôle de stimulation de la discussion, a commencé par une lecture à deux voix du poème, assurée par les enseignants : une voix masculine correspondant aux moments épiques caractérisés par un rythme saccadé ou majestueux voire emphatique et une voix féminine rendant les moments lyriques, élégiaques au rythme fluide ou diffus. En soi, cette lecture orientait la perception des étudiantes en tentant de les sensibiliser auditivement à l'importance que Senghor accorde, d'une manière générale, à la respiration de l'écriture et, dans ce poème en particulier, à une structure rythmique double, oscillant entre des moments toniques et fougueux et des moments plus lents, plus apaisés où le lyrisme couvre les retombées provisoires des accents épiques. L'accompagnement musical correspondant aux instruments indiqués par Senghor, qu'on entend dans la version enregistrée de notre cours, n'a pas pu être accessible aux étudiantes, le jour même où s'est déroulé le cours, et ce pour des raisons techniques. C'est pourquoi nous n'avons pas pu exploiter directement ces illustrations musicales sur le plan pédagogique, nous contentant de nous référer aux sons de certains de ces instruments, les plus connus, et avec lesquels nous savions que les étudiantes avaient une réelle familiarité.

Si, en effet, un Maghrébin peut hésiter sur le son du *rebab*, il reconnaîtra immédiatement le son du *oud* (luth), du *naï* ou de la *darbouka*. Cette défaillance technique nous a également conduits à adopter une lecture aux effets appuyés et volontairement théâtralisée. C'est sur la pertinence et la justification du choix d'une telle lecture qu'a porté notre première question, celle qui a enclenché le déroulement de l'ensemble de la séance.

La double caractéristique rythmique du texte et les moments alternatifs qui le composent ayant été très vite perçus par les étudiantes, nous les avons invitées à découvrir d'autres phénomènes liés au rythme du texte et à sa musicalité en tentant de leur faire sentir auditivement et de faire percevoir à leur intelligence cette poésie vocale si différente de la poésie française contemporaine. Ainsi, nous avons tenté d'explorer progressivement le poème, en focalisant nos interventions sur sa spécificité rythmique. Pour stimuler les réactions de notre public et provoquer une réflexion de sa part sur les modulations sonores de ce chant, nous avons essayé de canaliser leurs interventions par une série de questions ciblées, ce qui nous a permis d'enregistrer sa propre lecture auditive du poème. Nous avons, en fait, développé notre réflexion à partir des remarques successives de nos élèves, en tâtonnant avec elles, sans ordre préétabli, à travers le foisonnement du texte, car, pour nous, la priorité était surtout de leur laisser l'initiative de l'analyse et des développements, ce qui ne nous a pas empêchés de les guider ici et là, par nos propres remarques techniques qui nous ont permis, en l'occurrence, de relancer, à chaque fois que cela semblait nécessaire, leur attention et leurs investigations.

Commençant par l'observation du premier verset, nous avons découvert l'innovation rythmique à partir d'un canevas classique reconnaissable mais modifié (les étudiantes ont retrouvé ce phénomène sur le plan thématique dans le mélange de références au passé historique et d'évocations de la Tunisie moderne), la structure rythmique circulaire correspondant à la composition même du texte et l'éclatement et l'essaimage, à travers le poème, des éléments rythmiques du début, le rythme ternaire, par exemple.« Le souffle qu'on doit avoir pour lire les versets », selon l'expression d'une étudiante, illustre concrètement l'appréhension du rythme, dans le poème lui-même, par rapport aux fonctions du corps comme la respiration 101 ou le battement du cœur, appréhension qui a étonné les étudiantes, habituées à des conceptions plus académiques et moins «vitales».

Le recours aux instruments de musique arabe qu'indique Senghor comme devant composer l'orchestre auquel il destine son poème nous a permis d'interroger les étudiantes sur les parties du texte qu'elles jugent correspondre à ces instruments et par conséquent sur les émotions que peut suggérer chacun de ces instruments. Ainsi, le naï au son doux et triste conviendrait à l'évocation de la mort d'Hannibal, tandis que la *darbouka* ou le *tar* doublent le son du tam-tam qui ponctue le poème dans ses passages au «rythme syncopé». Ces instruments, d'après une étudiante, peuvent être considérés comme des actants du poème. Mise en abyme du rythme par les champs lexicaux de la musique et du chant, synesthésie, redécouverte de la poésie orale, tous ces moyens permettent, si l'on cite les étudiantes, de «dépasser l'écrit», en composant «un poème qui danse» avec «la substance et la pulpe des mots» selon l'expression même du poète. Une étudiante appelle Perse à la rescousse : «La poésie devient la chose qu'elle appréhende».

L'interrogation de certains termes ou de certaines formules comme les xénismes (le professeur fournit le mot mais ce sont les étudiantes qui perçoivent le phénomène), la couleur locale, suggérée par le «h» accolé au mot «komenjah» qu'il orientalise à l'image du *rajah* ou du *mahrajah*, les jeux de mots («si *tar* et darbouka», évoquant la cithare), les sonorités, les allitérations suggestives, comme ces hirondelles qui «striquent de cris leurs arabesques» en terre arabe, les allitérations touchant la première syllabe des mots d'un même ensemble, les rimes internes («tu dors dans les bras de la mort»), le rejet violent, après un adjectif possessif, du syntagme nominal auquel il se rapporte («[...] leur / Rythme syncopé [...]») les étudiantes comme les enseignants ont exploré les multiples jeux d'écriture, rythmes, mètres et sonorités que le poète met au service de son chant.

D'une réflexion sur le rythme binaire repris en écho, naît l'évocation du pas, de la marche, migration des peuples ou progression des éléphants d'Hannibal, ce qui amène une étudiante à constater qu'«Élégie de Carthage» est «un poème qui peut être adapté au cinéma», ce qui est une façon de percevoir son caractère visuel, épique et la présence constante en son sein de tableaux grandioses qu'ouvre à chaque fois, comme le note une autre étudiante, le recours au motif du regard. La réflexion d'une étudiante contestant qu'il s'agisse de poésie et parlant d'un «prosème», genre mixte unissant poésie et prose, amène l'enseignant à préciser que, sur le plan technique, il s'agit de poésie libre dite «stichique», composée de versets et à indiquer que, bien que le poème ne comporte qu'un vers unique, dans l'acception de la versification classique («Héros sombre et sans ombre»), il s'agit bien de poésie et non d'une forme mixte.

Après d'autres échanges consacrés à certains versets en particulier ou à certains motifs parfois sans rapport immédiat avec le rythme, comme le chiffre 5 qui correspond au nombre de subdivisions du poème, aux cinq sens auxquels renvoient de nombreux versets mais qui est aussi un chiffre magique au Maghreb, celui de «la main de Fatma», censée crever l'œil de l'envieux et favoriser celui qui la porte en talisman, nous avons demandé aux étudiantes de conclure. Leurs réponses ont mis en valeur les aspects suivants :

1. La nécessité de prendre le mot rythme dans un sens général, global et non pas seulement technique. Le rythme est, rappelle une étudiante, en citant Senghor, «l'architecture interne de l'être», il est ce qui donne corps à la poésie, il est ce par quoi le corps s'exprime en poésie.

2. Le poème illustre ce que la tradition africaine apporte à la langue française et, de ce point de vue, précise une étudiante, «même à nous Tunisiens, il semble exotique ».

3. Toutes les étudiantes s'accordent sur la richesse du poème, au niveau rythmique, métrique et musical comme au niveau des images et des thèmes mais si certaines jugent qu'il a bien rendu la sensibilité, l'atmosphère et la tonalité musicale particulières de la Tunisie arabe, d'autres considèrent que Senghor parle plus de son Afrique que de la Tunisie ou que, en tous cas, il choisit dans le vécu tunisien, ce qui est le plus proche de son africanité, l'émotion, le corps, la profondeur historique.

4. Les étudiantes ont été particulièrement sensibles à l'usage de deux, voire plusieurs traditions culturelles harmonisées mais distinctes dans le poème mais elles ont également noté un élan vers l'universel, qui s'appuie sur l'intuition de ce qui est commun aux hommes et qui semble se situer au niveau du corps, de l'instinct et des sentiments avant de participer de l'intellect.

Conclusion

Nous avons voulu éviter de donner à la séance l'allure d'un cours académique et trop technique pour engager plutôt une dynamique de débat animé autour d'un poème qui lui-même utilise la vitalité du corps et de l'émotion comme source heuristique de compréhension et d'appréhension du monde. Ce choix nous a valu une bonne participation de la part de la majorité des étudiantes ainsi qu'une implication personnelle assez notoire de leur part dans l'investigation et l'expression de leurs réactions et leurs opinions. Ce que nous ont confié, après l'enregistrement, les étudiantes, c'est qu'au départ, elles ont été «dépaysées», comme elles disent, par le texte : ses nombreuses références ethniques savantes qui usent des mots comme d'une sorcellerie évocatoire et les élans quasi ontologiques de ses célébrations, ont été pour elles l'occasion de découvrir une expression poétique moderne très différente de celle des poètes français auxquels les manuels scolaires les ont habituées.

Elles ont, en effet, aimé ce côté physique qui engage le corps dans le rythme de l'écriture et qui la rend moins abstraite, plus humaine et donc plus proche d'elles, d'autant que la poésie, plus que la prose, affirment-elles, les interpelle particulièrement quand elle implique leurs sens, leurs émotions, leur affect, plus que leur intelligence..

Nous croyons aussi avoir compris que, si le poème leur parle, c'est parce qu'il parle d'elles et de nous, Tunisiens et Africains, elles ont été sensibles à cet aspect auto-valorisant et, à leur âge, la majesté et le lyrisme semblent plus une qualité de l'écriture, un attrait qu'un excès de style et de couleur. Cette appartenance à tout un continent que le poète revendique, leur a révélé une forme séduisante de l'engagement qui met la poésie non pas au service d'une cause ponctuelle régionale et historique mais au service de la fratrie humaine. Cette quête de l'humain associée à une revendication des racines constitue d'ailleurs un des points vers lesquels convergent bien des textes de la littérature francophone dont nos apprenants, vu le type de formation auquel elles ont eu jusque-là accès, ignorent encore la spécificité et l'importance et dont le poème de Senghor leur a donné un avant-goût.

Un regret est toutefois à signaler. Nous aurions pu aborder le poème et son rythme par un autre biais : celui de la poésie arabe. Car bien des caractéristiques du rythme de Senghor se retrouvent, autrement agencées, dans cette poésie. Mais, outre le fait que nous n'ayons pas choisi cette méthode comparatiste mais plutôt de nous appuyer sur les connaissances antérieures que ces étudiantes avaient en tant que francisantes, nous noterons que la mobilisation de leurs connaissances dans le domaine de la poésie arabe leur aurait sans doute paru moins naturelle, étant donné que le texte francophone de Senghor appelle plus naturellement une référence à la littérature de langue française. Les ponts, en effet, sont rarement établis entre l'enseignement de la littérature arabe et celui de la littérature française, ce qui est souvent dommageable pour la formation des étudiantes . Nous avons quand même posé une question à la fin de la séance et obtenu une réponse sur la proximité des images de la poésie de Senghor et de celles de la poésie arabe. Il est probable également que, se destinant assez tôt à la littérature française et certaines d'entre elles venant soit des lycées de la mission française soit de sections scientifiques de l'enseignement secondaire tunisien, la connaissance de la littérature arabe par ces étudiantes pouvait être approximative. Nous ne l'avons pas vérifié parce que nous n'avions pas choisi d'exploiter la méthodologie comparatiste mais cette méthodologie mériterait de l'être.

N° d'éditeur : 10131859 – Mars 2006
Imprimé en France par EMD sas – N° d'imprimeur : 15048